AGI! AGI! AGI!

Urien Wiliam

AGI! AGI! AGI!

Urien Wiliam

Cyhoeddwyd gan Hughes a'i Fab gyda chymorth y Ganolfan Astudiaethau Addysg, Coleg Prifysgol Cymru, Aberystwyth.

Dymunir diolch i'r canlynol am eu cymorth:

Golygydd: Dr Rhiannon Ifans
Cysodi: Christina Thomas
Gosod: R. Ceri Jones
Llun y clawr: Beccy Pearce
Paratoi'r deunydd ar gyfer y wasg: Eleri Huws
Argraffwyr: Gwasg Dwyfor

ISBN: 0 85284 087 X

RHAGAIR

Lluniwyd y ddrama-gerdd hon ar wahoddiad Emyr Edwards ar gyfer taith flynyddol Cwmni Drama Cenedlaethol Urdd Gobaith Cymru ym 1975, a chafodd ei pherfformio amryw o weithiau ar ôl hynny.

Fe gafodd ei diweddaru erbyn hyn, a hyderir ei bod yr un mor gyfoes i ieuenctid heddiw ag yr oedd yn y saithdegau.

Bwriedir iddi gael ei chwarae ar lwyfan gwag gyda chefnlen niwtral, gyda defnydd o offer addas yn ôl y galw i awgrymu sefyllfaoedd — er enghraifft, pyst ar gae rygbi, drws tŷ'r Prif Weinidog, Llys Ynadon, ac yn y blaen — gan mai'r actorion, ac nid y set, sy'n creu'r golygfeydd.

Diolch i'r Ganolfan Astudiaethau Addysg, Coleg Prifysgol Cymru, am eu cymorth i gyhoeddi'r ddrama hon.

Urien Wiliam
Hydref 1990

AGI! AGI! AGI!

Drama ar gyfer ieuenctid

gan

Urien Wiliam

RHAN 1

GOLYGFA 1

Llwyfan gwag, oni nodir yn wahanol.

(Y dorf yn rhuthro i mewn gan fonllefain, curo dwylo yn rhythmig ac yn ffurfio dwy res; aelodau o'r tîm rygbi'n cario'r capten, Tomi Mawr, ar eu hysgwyddau i mewn rhwng y rhesi ac yn gorymdeithio o gwmpas.)

Y DORF (ddwywaith): Ra! Ra! Ra-ra-ra! Ra-ra-ra-ra — ra-ra!

BACHGEN: (*yn rhedeg ymlaen, yn rhoi naid a gweiddi*) Agi-agi-agi!

Y DORF: Oi-oi-oi!

BACHGEN: Pwy yw'r gore?

Y DORF: Ein tîm ni!

BACHGEN: Pwy enillodd?

Y DORF: Ein bechgyn ni!

MERCH: Faint oedd y sgôr?

BACHGEN: Dim iddyn nhw! Tri deg i ni!

Y DORF: Hwrê! Ra! Ra! Ra-ra-ra! *a.y.b.*

LLAIS: (*yn canu, ar y dôn 'Diadem'*)

O bob rhyw chwarae is y nef,

Y DORF: (*yn ymuno*) Mae un yn well 'da ni,
Mae un yn well 'da ni;
A gwaeddwn nawr â chadarn lef
Mai Rygbi (*rygbi, rygbi, rygbi*),
Mai Rygbi ydy hi!

(*yn bonllefain*) Ra! Ra! *a.y.b.*

(*Mae Jones y Gêm, athro chwaraeon, yn rhedeg i mewn gan chwythu'i chwib.*)

JONES: (*wrth y gynulleidfa*) Hylô na! Wedi dod i weld y gêm, ia? Wel, mae'n flin iawn gin i ddeud hyn ond mi rydach chi'n rhy hwyr, ydach wir, yn rhy hwyr i weld ein hysgol ni'n curo bechgyn y Cwm.

Y DORF: Hwrê!

JONES: Am y nawfed tro! ... (*y dorf yn chwerthin*) ... Ond felly bydd hi bob amser, gêm ar ôl gêm, mae wedi mynd yn undonog braidd a deud y gwir, tydi?

Y DORF: Ydy!

JONES: Mae ofn ein hogia ni ar y timau eraill erbyn hyn. Ond peidiwch â 'nghamddeall i, does dim chware budr yn mynd ymlaen o'n hochor ni, (*y dorf yn chwerthin yn anghrediniol*) nac oes, wir! Pob un i gadw'i ddyrna iddo fo'i hun ydy'r rheol fan hyn a gadal i'r lleill daro'n gynta.

LLAIS: A lwc-owt wedyn!

(*Y dorf yn chwerthin*)

LLAIS ARALL: A gofalu na fydd y rheolwr yn gweld! (*chwerthin eto*)

JONES: Rŵan ta, am y cynta i newid! Ffwr' â chi! A chofiwch gymryd cawod, y tacla!

(*Y chwaraewyr yn rhedeg allan*)

Bechgyn iawn ydyn nhw, does ryfadd yn y byd 'u bod nhw'n ennill bob dydd Sadwrn! Wyth o flaenwyr fel cewri a'u sgwydda fel bustych bob un! Pan fyddan nhw'n rhoi'u penna i lawr yn y sgrym ac yn dechra gwthio mi fyddan nhw'n cerdded dros y tîm arall! A'r ddau hanerwr, Tomi bach a Len — welis i neb yn deall 'i gilydd cystal erioed â'r ddau 'na — mi fydd Tomi rownd yr ochor dywyll fel wenci a phan fydd Len yn bwydo bois y cefn mi fydd y bêl yn mynd fel bwled. O! mae'n bleser 'u gweld nhw'n chwara ac mi fydda i'n teimlo'r fath falchder ynddyn nhw, fy mechgyn i, yn sgubo pob dim o'u blaena! Ac mae lle gen i i fod yn falch hefyd. O'nd ydw i wedi treulio wythnosa'n 'u hyfforddi a'u cledro, a dysgu popeth wn i am y gêm iddyn nhw? Mi fydda i'n flin iawn i'w gweld nhw'n gadael ar ddiwedd y flwyddyn ac yn 'i throi hi i'r byd mawr — ond wnân nhw ddim anghofio'r ysgol na'r pethau rwy i wedi'u dysgu iddyn nhw! Ond mae sbel go lew cyn hynny ac rwy'n benderfynol o orffen y tymor heb golli'r un gêm!

MERCH: Ble maen nhw'n chwarae'r Sadwrn nesa, syr?

JONES: Gartre — yn erbyn bechgyn y ddinas.

LLAIS: Pwy sy'n mynd i ennill, syr?

JONES: Pwy 'dach chi'n feddwl?

LLAIS: Ein bechgyn ni!

Y DORF: Ra! Ra! Ra-ra-ra! Ra-ra-ra-ra — ra-ra! *(yn gorymdeithio gan godi Jones a chanu ar y dôn 'Solomon Levi')*

LLAIS: O! Dyma'r tîm gore!

PAWB: Hip, hip, hip, hwrê!

LLAIS: Gweddïwn nos a bore —

PAWB: Does dim un ysgol all wneud mor rhyfeddol,
A'n bechgyn mor hawddgar, mor fywiog a chlyfar,
Mor chwimwth wrth redeg â'r bêl —
Does neb yn rhagorach na neb yn gyflymach
Wrth fylchu a mynd fel y 'Mêl',
Mor fedrus wrth lamu a chwim ochorgamu
A sgorio a throsi bob tro —
Mae'n amlwg yn hollol mai bechgyn yr Ysgol
Ddaw eto'n bencampwyr y fro!
Hwrê!

GOLYGFA 2

(Mae Mam Gwenno'n dod i mewn ac yn galw ar ei merch. Mae'r fam yn gwau.)

MAM GWENNO: Gwenno! Gwenno!

GWENNO: Hylô? Oeddech chi'n galw, Mam?

MAM: Yn galw? Rwy jyst â cholli'n llais! Ble rwyt ti wedi bod, ferch?

GWENNO: Gwylied y gêm, Mam.

MAM: Rown i'n meddwl! Gwastraffu d'amser eto'n rhedeg ar ôl

y bechgyn!

GWENNO: Nage! Edrych ar y gêm oeddwn i.

MAM: Bechgyn oedd yn chwarae, yntefe?

GWENNO: Ie, Mam.

MAM: Dyna ti te — rwy i wedi dweud wrthyt ti o'r blaen beth rwy'n ei feddwl o ferched sy â dim gwell i'w wneud na sefyllian o gwmpas cae ffwtbol!

GWENNO: Nid ffwtbol, Mam ...

MAM: Beth te?

GWENNO: Rygbi!

MAM: Gwaeth fyth! Lot o hen fechgyn yn fwd ac yn chwys i gyd — a iaith! Ych â fi! Wn i ddim beth ddwede dy dad tase fe'n gwybod dy fod ti'n dilyn y lot 'na!

(Yn ystod hyn mae'r dorf yn canu, o'r golwg, ar y dôn 'Sosban Fach')

Y DORF: Mae bola Meri Ann wedi chwyddo
A Dafydd y maswr sydd ar fai. Hoi! Hoi!
Bydd baban yn y crud ar ôl heno
Yn sgrechen am dditi yn ddi-drai. Hoi! Hoi!
Does dim neb yn chwarae fel nyni,
Does dim neb yn caru fel nyni,
A'r merched sy'n hapus — fwy neu lai. Hoi! Hoi!

MAM: Y mawredd annwyl! Mae'n warthus!

GWENNO: Dim ond canu maen nhw.

MAM: Wyt ti'n galw hwnna'n ganu? Ych â fi! Fe ddyle fod cwilydd arnyn nhw — ac ar yr ysgol am ganiatáu'r fath beth! Ond 'na fe, mae'r tipyn athro 'na — hwnna sy'n rhedeg o gwmpas y lle fel Guto Nyth Brân ...

GWENNO: Jones y Gêm, chi'n feddwl.

MAM: Ie, hwnnw, dyw e ddim ffit i fod mewn ysgol os yw e'n gadel i fechgyn ifainc fihafio fel hwliganiaid.

GWENNO: Dŷn nhw ddim yn hwliganiaid!

MAM: Dyw'r bai ddim i gyd arno fe, wrth gwrs. O'r top mae trefn yn dod ac os oes dyn gwan lan fan'na fydd dim llawer o siâp ar y lleill wedyn. 'S lawer dydd mi fydde trefn gan Phillips M.A., pan oedd hi'n Ysgol Ramadeg — lle bu dy dad yn stydio cyn mynd i'r coleg — ond nawr mae'r hen Ysgol Gyfyng ma'n agored i bob siort — 's dim rhaid pasio'r sgolarship hyd yn oed

— i mewn â nhw, pob jac wan, a wnaiff Doctor Puw ddim byd i ddysgu manars i neb!

GWENNO: Mae e'n boblogaidd iawn.

MAM: O, ydy! Ond pam? Digon hawdd iddo fe adel iddyn nhw ddod i'r ysgol bob siape'n byd a gadel iddyn nhw wneud fel y mynnon nhw — ateb nôl yn y dosbarth a galw enwe ar yr athrawon heb ofni cael blas y wialen! Beth nesa sgwn i? Galw'r athrawon wrth 'u henwe cynta, mae'n siŵr!

Y DORF: *(Yn canu o'r golwg).*
Does dim neb yn chwarae fel nyni,
Does dim neb yn caru fel nyni,
A'r merched sy'n hapus — fwy neu lai. Hoi! Hoi!

MAM: Reit! Dyna ddigon! Adre â thi, merch i — ar unwaith!

GWENNO: Ond, Mam!

MAM: Gwadna hi cyn i fi estyn whirret iti ar dy shilfoch! Fe ddyle rhywun gwyno wrth y cyngor. Dere!

Y DORF: Ra! Ra! Ra-ra-ra! Ra-ra-ra-ra — ra-ra!

MERCH: Hei, Gwenno! Dwyt ti ddim am aros i weld y bechgyn?

MERCHED: Babi! Babi! Mynd adre gyda mami!
(Yn llafarganu, yna'n chwerthin ac yna'n gwichian wrth i'r tîm rygbi ddod i mewn mewn dillad diwetydd; pawb yn gwau i'w gilydd yn stwrllyd ac yn canu.)

Y DORF: O! Dyma'r tîm gore! *a.y.b.*
(Mae ei mam yn rhoi pwniad i Gwenno ac yn mynd allan. Mae Gwenno'n ei dilyn yn anfodlon.)

GOLYGFA 3

(Mae'r merched yn gwichian yn edmygus o gwmpas y tîm rygbi, yn enwedig o gwmpas Tomi Mawr. Mae'r athro, Jones y Gêm, yn dod i mewn ac yn cyfarch y gynulleidfa.)

JONES: O, mi rydach chi'n dal yna, rwy'n gweld. Beth sy'n bod? Y bws heb ddod, ta beth? O, wel, plesiwch eich hunain. *(yn syllu i'r gynulleidfa)* 'Hoswch funud, mi rydw i wedi'ch gweld chi o'r blaen, on'do? Ie, chi nôl fan'na, mi roeddech chi yma'r Sadwrn dwetha on'd oeddech chi? Rown i'n meddwl! Gêm dda oedd honna, ynte? Un galad — a dim ond pum pwynt rhwng y ddau dîm ar y diwadd. A deud y gwir, am funud roeddwn i wedi dechrau poeni 'u bod nhw am golli, ond dydy'n bechgyn ni byth yn colli, nag dach?

Y DORF: Ra! Ra! Ra-ra-ra! Ra-ra-ra-ra — ra-ra!

JONES: Mi rydach chi'n cofio'r cais olaf, mae'n siŵr, funud cyn y diwedd, Tomi Mawr — dacw fo'n fancw ylwch, yng nghanol y genethod, *(yn gwenu)* mi fydd o bob amser yn 'u canol nhw. Does dim rhyw lawer iawn rhwng y clustiau — ond dyna redwr ichi, ac ochrgamwr! Mi jinciodd o'i ffordd drwy bump ohonyn nhw un ar ôl y llall a neb yn gweld 'i sodlau nes iddo fo ddaearu'r bêl yn grwn o dan y pyst!

(Tomi Mawr yn dod ymlaen, a'r merched edmygus gydag ef.)

TOMI M: Fi yw Tomi Mawr — capten y tîm rygbi! Rwy i wedi 'nghodi yn sŵn y gêm. Roedd pâr o sgidie rygbi gyda fi yn y pram, medde Mam. Fe chwaraeodd Nhad dros 'i ysgol a thîm y dref wedyn am ddeuddeng mlynedd ac fe gafodd dreial gyda'r *Possibles* ddwywaith. A nawr rwy i'n dilyn ar 'i ôl e, yn yr un safle ag e — yn rhes gefn y blaenwyr ac yn dal y pac at 'i gilydd. Wyddoch chi, pan fyddwn ni'n mynd lawr yn y sgrym ac yn mynd glatsh i mewn i'r pac arall, mi fydd rhyw ias yn cerdded drosto i i gyd! Neu yn y llinell — does dim byd yn rhoi mwy o wefr i fi na neidio am y bêl a'i bwrw hi nôl wedyn i ddwylo'r mewnwr a thri neu bedwar ar fy nghefn i'n trïo 'nghael i lawr — ond rhy hwyr! Mi fydd y bêl wedi chwibanu nôl a symudiad arall ar waith cyn i'r rheolwr dynnu anadl. Cwrs wedyn lawr y cae o dan y bêl a rhyw bŵr dab yn disgwyl amdani a ninne'n bollti'n syth amdano fe. Rwy'n lico'i gyrraedd e'r un eiliad â'r bêl a'i sbredo mor fflat â ffroesen yn y stecs!
(chwerthin a synau edmygus)
Gaeaf nesa mi fydda inne'n chware gyda chlwb y dre ac mi fydd Nhad mor falch â tase fe'n chware'i hunan!

MERCH 1: Rwyt ti wedi dechre'n dda, Tomi.

TOMI M: Ydw, rwy'n gwybod, fi yw'r chwaraewr gore yn yr ysgol.

MERCH 2: Gwrandewch arno fe'n canmol 'i hunan!

TOMI M: Wel, fe gewch chi weld. Rhyw ddydd, nid yn unig fe fydda i'n chware dros Gymru ...

MERCH 2: Ie?

TOMI M: Fi fydd y capten hefyd!

Y DORF: O!

MERCH 2: Dyna beth rwy'n ei licio am Tomi Mawr — mae e mor ddiymhongar! *(y dorf yn chwerthin)*

MERCH 1: Paid â sylwi arni hi, Tomi — rŷn ni i gyd yn dwlu arnat ti, on'd ŷn ni?

Y DORF: Ydyn! Naw! Saith! Pump! Tri! Pwy yw'r un a garwn ni? Tomi Mawr!

TOMI M: Wel te, byts, rhaid i fi'ch gadel chi nawr.

MERCH 1: I ble rwy ti'n mynd te, Tomi?

TOMI M: Pa eisio dweud sy?

MERCH 2: Mynd i weld dy wejen, ife?

TOMI M: Fy musnes i yw hynny!

MERCH 3: Pwy yw hi te, Tomi?

MERCH 1: Fi, yntefe Tomi?

MERCH 2: Nage, fi!

MERCH 3: Beth amdana i te?

TOMI M: Rwy'n eich caru chi i gyd!
(chwerthin; Tomi Mawr yn gorymdeithio gyda'r merched a'r dorf yn canu ar y dôn 'Colonel Bogey')

Y DORF: Ta ra ra ra ra ra ra om tid-l om pom pom.
Tomi sy'n lico merched pert!
Mae'n hoff o bawb sy'n gwisgo sgert!
Blonden neu ambell gochen
Neu un â'i thalcen yn gymen
Dan wallt mor ddu â'r frân;
Croten wahanol at bob nos,
Beti o'r dre a Mair o'r Rhos,
Liwsi a Meg a Siwsi —
Bob un ar Tomi yn dwlu yn lân!

BACHGEN: Agi-agi-agi!

Y DORF: Oi-oi-oi!
(Tomi Mawr yn mynd allan ar ôl ffarwelio â phawb)

JONES: *(yn dod ymlaen)* Tomi Mawr — deryn mawr, hoff o'i ganmol 'i hun. Ond mi ddaw'n gallach ryw ddydd. Ar hyn o bryd fo ydy capten y tîm a dyna beth sy'n bwysig — ennill y bencampwriaeth eto eleni, a thra bydd o wrth y llyw mi rydan ni'n siŵr o lwyddo. Mae o'n medru ysbrydoli'r lleill i chware fel llewod — a hwyrach fod tipyn bach o'i ofn o arnyn nhw. Tasen nhw i gyd mor hyderus â Tomi Mawr faswn i ddim yn gofidio o gwbl, ond mae'n dda cael rhywun tebyg iddo fo i'w gyrru nhw ymlaen. Welwch chi hwn fan acw, er enghraifft? Tomi ydy yntau, Tomi Bach. Chwaraewr iawn ydy o — pâr o ddwylo diogel, ciciwr cryf, tactegwr heb 'i ail. Mae o fel corgi bach wrth sodle'r gwartheg pan fydd hi'n sgrym neu'n sgarmes rydd. Ond mae o'n swil, i chi. A dyna'r gwahaniaeth rhyngddo fo a'r Tomi arall. Mae hwnnw'n meddwl 'i hun yn well nag ydy o tra bo Tomi Bach heb ronyn o hyder o gwbl ...

TOMI B: Tomi Bach ydw i; rwy'n llai na Tomi Mawr — dyna pam maen nhw'n galw Tomi Bach arna i. *(y dorf yn chwerthin)* Rwy inne'n chware rygbi hefyd — fi yw'r mewnwr — ond fydda i ddim yn gwneud llawer o ffws achos rwy'n gwybod bod chwaraewyr gwell na fi i gael ac a dweud y gwir rwy'n lwcus iawn i gael lle yn y tîm o gwbwl ...

JONES: Beth ddeudes i? *(yn codi'i ddwylo mewn ystum o anobaith)*

TOMI B: Rwy'n lico'r gêm, wrth gwrs, ond mae 'na bethe eraill mewn bywyd sy'n bwysicach o lawer na rygbi.
(y dorf yn synnu)

LLAIS: Does dim byd yn bwysicach na rygbi!

TOMI B: O, oes. Rwy i am wneud rhywbeth o werth â mywyd i — bod o wasanaeth i gymdeithas, gwella'r byd dipyn bach.

LLAIS: Pwy mae e'n feddwl yw e — Albert Schweizer?

LLAIS 2: Bydd di'n ofalus, Schweizer bach, neu fe gei di dy daflu mas o'r tîm! Licet ti ddim chwarae dros Gymru fel Tomi Mawr?

TOMI B: Wrth gwrs liciwn i — ond does dim llawer o obaith i hynny ddigwydd. Rwy i'n wahanol iawn i Tomi Mawr.

MERCH 1: Wyt! Mae'r merched yn dwlu arno fe!

MERCH 2: O! Paid â'i boeni fe.

MERCH 1: Pam lai? Wyt ti'n lico fe, wyt ti? Ti yw 'i gariad e, ife?

MERCH 3: Hy! Does dim caru yn 'i fywyd e, nag oes e Tomi Bach?

TOMI B: Y? Beth oedd 'na?

MERCH 1: Meddwl oedden ni — pwy yw dy wejen di, Tomi?

TOMI B: Wejen?

MERCH 1: Drychwch — mae e'n cochi i gyd!

TOMI B: Nac ydw!

MERCH 1: Wyt! Pwy yw hi, Tomi?

MERCH 2: Rhowch lonydd iddo fe.

MERCH 3: Wyt ti'n dod i'r ddawns heno, Tomi Bach?

TOMI B: Wn i ddim.

MERCH 1: Dere â dy wejen gyda thi inni gael 'i gweld hi!

TOMI B: *(yn gwylltio)* Falle y gwna i hefyd!

Y DORF: W! ... *(yn canu ar Dôn y Botel)*
Pwy ydy dy wejen di?
Pwy ydy dy wejen di?
Pwy ydy dy wejen di?
Tomi Bach!

LLAIS: Does ganddo fe ddim un!

TOMI B: Oes!

MERCH 1: Wel, pwy yw hi te?

TOMI B: Fe gewch chi weld heno!

MERCH 3: Ydy dy fam yn gwybod? *(chwerthin)*

TOMI B: Fe gewch chi weld!
(yn brysio allan a'r dorf yn chwerthin)

GOLYGFA 4

JONES: Tomi Mawr a Tomi Bach. Dau chwaraewr gwych yn 'u gwahanol ffyrdd ac yn cyd-chwarae'n dda iawn mewn gêm — deall 'i gilydd i'r dim. Ond mae'n stori wahanol wedi i'r gêm orffen. Does ganddyn nhw ddim llawer yn gyffredin wedyn — er, cofiwch, mae 'na ambell beth sy'n deffro diddordeb y ddau, yn enwedig ar nos Sadwrn.
(Y dorf yn symud i un ochr o'r llwyfan ac yn dechrau dawnsio a chwifio dwylo i gyfarch 'i gilydd. Daw rhagor i mewn i'r ddawns. Ar ochr arall y llwyfan mae Tomi Bach yn dod i mewn, yn edrych yn hiraethus i gyfeiriad y ddawns ond yn rhy ofnus i fynd yno. Mae dwy ferch yn ei ddilyn i mewn.)

MERCH 1: Hylô Tomi, wyt ti'n dod i'r ddawns?

TOMI B: Ydw, siŵr o fod.

MERCH 2: Disgwyl cwmni wyt ti?

TOMI B: Wel, y ...

MERCH 1: Ie, wrth gwrs, dwyt ti ddim yn cofio? Aros am 'i

gariad mae Tomi!

MERCH 2: Wyt ti, Tomi?

TOMI B: Ydw, disgwyl amdani rwy i nawr — os daw hi.

MERCH 2: Be ti'n feddwl 'os daw hi'?

TOMI B: Roedd tipyn o annwyd arni neithiwr.

MERCH 1: O wel, — os na ddaw hi dere di aton ni, fe edrychwn ni'n dwy ar dy ôl di!

MERCH 2: Gwnawn, wrth gwrs! Welwn ni di nes ymlaen te. Ta-ta!
(Y ddwy'n troi oddi wrtho i gyfeiriad y ddawns.)

MERCH 1: Wyt ti'n meddwl bod Tomi'n caru, wir?

MERCH 2: Pwy all ddweud?

MERCH 1: Dydw i ddim! Esgus yw sôn am annwyd — ffordd o arbed 'i wyneb. Welest ti Tomi Bach gyda merch erioed?

MERCH 2: Wel, naddo, erbyn meddwl.

MERCH 1: Naddo, ac mi fentra i na chaiff e neb heno chwaith! ... Hylo, Helen, rwy'n lico dy ffrog di ...
(Y ddwy'n ymuno â'r dawnswyr. Mae Tomi Bach yn troi i ffwrdd yn ddigalon ac yn cwrdd â Jones y Gêm.)

JONES: Hylo, Tomi Bach, pam wyt ti'n edrych mor ddiflas? Does gen ti ddim hawl i dynnu wyneb hir felna a hithe'n nos Sadwrn! Mynd am dro wyt ti?

TOMI B: Hylo, Mr. Jones. Rown i'n meddwl mynd i'r ddawns.

JONES: Wel, fforcw mae mynd, te — ond gwell iti roi gwên ar dy wyneb neu mi fydd arnyn nhw d'ofn di.

TOMI B: Does dim llawer o awydd arna i chwaith.

JONES: Beth? Hogyn ifanc ddim isio mynd i ddawnsio?

TOMI B: Dyw hi ddim llawer o sbort ar eich pen eich hunan.

JONES: Ond mae llond y lle yno.

TOMI B: Beth rwy'n feddwl yw — heb gwmni i fynd gyda fi.

JONES: Mae 'na ddigon o gwmni yno. Ond rown i'n meddwl dy fod ti'n dod â rhywun.

TOMI B: Mi ddwedes i hynny rhag iddyn nhw chwerthin am fy mhen i.

JONES: O, wela i, felna mae hi. Wel, gwell iti chwilio'n gyflym!

TOMI B: Ymhle?

JONES: Mi fuaswn i'n — ym — edrych o gwmpas. *(Yn rhoi winc ar y gynulleidfa ac yn ymneilltuo wrth i Gwenno ddod i mewn.)*

GWENNO: Hylô 'na.

TOMI B: Hy-hylô, Gwenno.
(y ddau'n sefyllian)

GWENNO: Wyt ti'n mynd i'r ddawns te?

TOMI B: Falle — wyt ti?

GWENNO: Ydw, wrth gwrs! *(yn chwyrlïo o'i flaen)* Wyt ti'n licio'n ffrog i? Ges i hi'n sbeshal at heno.

TOMI B: O — y — neis iawn.

GWENNO: Hy! Rwyt ti'n dweud hynny'n unig achos mod i wedi gofyn!

TOMI B: Nag ydw, wir — rwy'n 'i feddwl e!

GWENNO: Wyt ti, **wir**?
TOMI B: Ydw. *(yn swil)* Y — Gwenno ...

GWENNO: Ie?

TOMI B: Wrth dy hunan wyt ti'n mynd i'r ddawns?

GWENNO: Pam wyt ti'n gofyn?

TOMI B: Wel, y — meddwl oeddwn i. Os nad oes cwmni 'da ti, hynny yw, os nad oeddet ti wedi addo cwrdd â rhywun.

GWENNO: Wel?
(Erbyn hyn, mae Tomi wedi gweithio'i hun lan i bitsh ac mae'r geiriau'n llifo allan.)
TOMI B: Meddwl oeddwn i os nad oeddet ti wedi addo cwrdd â rhywun arbennig, bachgen rwy'n feddwl, wrth gwrs, nid merch ac os wyt ti ar dy ben dy hunan am unwaith a neb yn cadw cwmni i ti falle y gallwn i fynd â ti i'r ddawns. Ga i plîs, os gweli di'n dda?

GWENNO: *(wrth ei bodd)* Wyt ti'n cynnig mynd â fi i fan'na?

TOMI B: Mawredd! Alla i byth ddweud hynna eto — ga i?

GWENNO: Wel ...
(yr eiliad nesaf mae Tomi Mawr yn brysio i mewn)

TOMI M: Hei 'na, blodyn! Sori mod i'n hwyr! O — hylo Tomi Bach, rwyt ti mas yn hwyr heno. Diolch iti am ofalu am Gwenno nes i fi gyrraedd. Dere mlaen, fenyw, maen nhw'n disgwyl amdanon ni. Hwyl iti boi!

GWENNO: Ta ta, Tomi Bach! *(yn mynd gyda Tomi Mawr)* Ble

rwyt ti wedi bod? Rwy i'n dy ddisgwyl ers amser. Rown i'n dechre ofni y bydde'n rhaid i fi fynd mewn gydag e ... *(y ddau'n ymuno â'r dawnswyr, a'r rheiny'n eu croesawu gan ganu)*

Y DORF: Tomi sy'n lico merched pert! *a.y.b.*
(Mae Tomi Bach yn troi ar ei sawdl yn drist ac yn mynd allan; mae'r ddawns yn ailddechrau eto. Mae Jones yn dod ymlaen.)

JONES: Druan o Tomi Bach. Wydde fo ddim fod Gwenno'n aros i gwrdd â Tomi Mawr. Felna mae hi wedi bod bob tro — Tomi Mawr yw eilun y genethod i gyd ... *(yn syllu ar y dawnswyr)* Edrychwch arnyn nhw. Maen nhw wrth'u bodd yn siglo'n fan'na. On'd ydyn nhw'n lwcus? Mor ifanc ac mor ddiofal, heb ddechre wynebu gofidie bywyd. Nawr yw'u hamser nhw yntê? Fydde dim gwahaniaeth gen inne fod 'u hoedran nhw eto!
(Yn ystod hyn oll mae'r dawnswyr yn hymian tôn cân bop boblogaidd, yna'n dechrau canu'r geiriau. Mae yntau, Jones, yn dechrau siglo i rythm y gân, yna'n ymysgwyd a deffro i'w gyfrifoldeb unwaith eto ac yn difrifoli.) Reit te'r tacle ...
(yn chwythu'r chwib) Dyna ddigon ar ddawnsio am y tro!

Y DORF: *(yn siomedig)* O!

JONES: Mi gewch chi 'O' ar eich penola mewn munud! Dowch! A thitha hefyd, Tomi Bach!

GOLYGFA 5

JONES: Reit! Rŵan ta, ydy pawb yma?

Y DORF: Ydyn, syr!

JONES: Da iawn, ac mi rydach chi i gyd yn edrych ymlaen at y gêm yn erbyn Ysgol y Ddinas, mae'n siŵr.

Y DORF: Ydyn, syr!

LLAIS: Wedi bod yn edrych mlaen trwy'r wythnos, Mr Jones. Fe rown ni grasfa iddyn nhw.

JONES: Ie, wel ...

Y DORF: Ra! Ra! Ra-ra-ra! Ra-ra-ra-ra — ra-ra!

JONES: Fel rown i'n trïo deud, mae gen i dipyn o newyddion i chi.

LLAIS: Newyddion da neu ddrwg, syr?

JONES: Da a drwg — wel, drwg a da, o leia. Y newydd drwg yn gynta: dydy tîm y Ddinas ddim yn dod.

Y DORF: *(yn siomedig)* O!

LLAIS: Pam hynny, Mr. Jones? Oes ofn arnyn nhw?

JONES: Synnwn i ddim, ond nid dyna'r rheswm chwaith — mae'u hanner nhw wedi'u taro'n wael.

LLAIS: Beth sy wedi'u taro nhw, syr?

JONES: Y ffliw.

LLAIS: Wel jiw jiw!

Y DORF: Y ffliw!

JONES: Ie.
Och. Heddiw y ffliw fel fflam
Neidiodd ar feibion Adam.

LLAIS: O wel, cystal inni fynd adre, sbo.

JONES: Na, dim o gwbwl. Mi gewch chi gêm — dyna'r newydd da sy gen i.

LLAIS: Yn erbyn pwy fyddwn ni'n chwarae, Mr. Jones?

JONES: Tîm nad ydach chi ddim wedi cwarfod ag o o'r blaen — tîm sydd y munud ma'n teithio o bell, drwy eira a rhew, niwl a glaw, gan wynebu peryglon di-rif — a'r cyfan o gariad at eu gwlad a'u hiaith a'n gêm genedlaethol! Tîm sy'n 'i chyfri'n anrhydedd ac yn werth y drafferth i gael y fraint o chwarae yn eich erbyn chi, fy mechgyn annwyl i *(yn sychu ffug ddeigryn)* — bechgyn glew sy wedi trigo'n hir mewn bro nad yw'n nabod y bêl hirgron!

TOMI M: Nid — Cymry Llundain?

JONES: Nage, Tomi Mawr, nid Cymry'r gaethglud — ond URMA!

Y DORF: URMA?

JONES: Cnoc Cnoc!

Y DORF: Pwy sy 'na?

JONES: URMA!

Y DORF: Urma pwy?

JONES: Undeb Rygbi Monarfon!
(tawelwch llethol; pawb yn edrych yn syn)

LLAIS: (syndod ac arswyd yn ei lais) Nid Gogs? — gosh!

LLAIS 2: Goli — Gogs!

JONES: Wel ia! Meibion rhadlon Môn, llanciau Llŷn, cofis Caernarfon, o Benmaen-mawr, o Benrhyndeudraeth, o Fangor Arfon, o Fangor Iscoed, o Gyffylliog, Ffestiniog, Porthmadog a

Rhosllannerchrugog, o Dre-garth a Phen-y-Gog-arth —
mewn gair ...

Y DORF: GOGS! Hwrê!

JONES: Ac maen nhw wedi cychwyn yn foreol i dramwyo'r heol, gan ddilyn eu hynt yn gynt na'r gwynt, gan yrru'n dawel o flaen yr awel, drwy law a heli o ymyl Pwllheli — mynd fel rhai mudion drwy Gerrig-y-drudion, teithio'n swil o Foryd Rhyl, heibio i Saeson Croesoswallt, troelli drwy'r Trallwm, siwrnai lew drwy'r Drenewydd — bysaid go bwysig yn unfryd i gyd am gêm!

TOMI M: Wel — ffor-shêm.

JONES: Ffor-shêm?

TOMI M: Pam na fyddech chi wedi dweud yn gynt? Maen nhw'n bownd o gyrraedd cyn bo hir.

JONES: Pam te? Beth sy'n dy boeni di?

TOMI M: Wel, mae eisie inni gael tipyn o bractis.

JONES: Ond mi rydach chi wedi cael hen ddigon yn barod.

TOMI M: Nag ŷn, syr. Nid y gêm rwy'n feddwl, ond practis gyda'r iaith.

JONES: Yr iaith? Be ti'n feddwl?

TOMI M: Maen nhw'n siarad yn wahanol i ni — fyddwn ni ddim yn 'u deall nhw.

JONES: Mi rydach chi'n fy neall i, tydach, er mod i wedi bod yn y Coleg Normal.

TOMI M: Ydyn, syr, ond rŷch chi wedi dod i siarad bron run peth â ni — heblaw am yr 'i' bedol, wrth gwrs.

JONES: 'I' bedol?

TOMI M: Ie — rŷch chi'n gwybod shwd i saco'ch **chops** mas a dweud 'u' fel tasech chi'n tagu, ond ych chi?

JONES: O — U! Felna.

Y DORF: I!

TOMI M: A rŷch chi'n gwybod y geirie i gyd hefyd — fel 'allan' am 'mas'.

LLAIS 1: A rŵan am nawr.

LLAIS 2: A iau yn lle afu.

LLAIS 3: Fflio yn lle hedfan.

LLAIS 4: Hogan yn lle croten.

LLAIS 5: Budr yn lle brwnt.

LLAIS 6: Del yn lle pert.

LLAIS 7: Isho yn lle moyn.

JONES: O'r gore. Dyna ddigon. Rwy'n siomedig iawn ynoch chi i gyd, ydw wir. Rown i'n meddwl y byddech chi'n falch fod yr hogia'n dod i chware yn eich erbyn chi.

TOMI B: Ydyn, syr, rŷn ni'n falch dros ben. Fe fydd yn newid i chware yn erbyn tîm diarth — dim ond inni gael tipyn bach o help gyda'r iaith.

JONES: Wel o'r gora, ond rhowch groeso tywysogaidd iddyn nhw pan ddôn nhw! A dysgwch ddweud 'U' yn gywir — run fath â fi!

Y DORF: I!

JONES: Nage, 'U'!

Y DORF: U!

JONES: Dyna well — eto! U!

Y DORF: U!

JONES: *(yn troi at y gynulleidfa).* A chitha hefyd — efo'ch gilydd — U!

PAWB: U!

JONES: Fedra i mo'ch clywed chi — yn uwch! U!

PAWB: U!

JONES: Uwd!

PAWB: UWD!

JONES: Sul!

PAWB: SUL!

JONES: Porthi'r pum MUL!

PAWB: Porthi'r pum MUL!

JONES: *(yn canu, ar y dôn 'Y Mochyn Du')*
Mae 'na sôn — mae pawb yn gwybod —
Fod yng Nghymru saith rhyfeddod
Ond yr wythfed welir heddi' —
Hogia'r Gogs yn chware rygbi.

Y DORF: Hip hwrê am hogs y Gogs *(ddwywaith)*
Mae pob un yn caru rygbi,
Croeso rown i hogs y Gogs!

(yna clywir corn hen-ffasiwn — corn bws)

TOMI B: Maen nhw'n dod!

Y DORF: Hip hwrê am hogs y Gogs! Hwrê!

(Bonllefau a chymeradwyaeth wrth i'r Gogleddwyr gyrraedd. Yna mae pawb yn tawelu ac yn syllu ar ei gilydd yn swil nes i Tomi Mawr ddod ymlaen.)

TOMI M: Wel shwmae te, bois. Ŷch chi wedi cal shwrne go lew gwlei?

ARFON: Sut?

TOMI M: Wel, thenciw. Mae dyn yn blino sefyll drwy'r dydd. *(yn eistedd ar stôl a wthir o'i flaen)*

GWILYM: Ydan ni yn y lle iawn, ti'n meddwl?

ARFON: Wn i ddim. Yli'r hogyn 'cw — gofyn iddo fo.

GWILYM: Pwy — nacw fancw? O ce. Y — hylô, ngwasi.

TOMI M: *(yn codi)* Hylô 'na. Irma ŷch chi?

GWILYM: Naci del, Gwilym dw i. Mi fydda i'n licio gwisgo ngwallt fel hyn.

TOMI M: Urma, w! Undeb Rygbi Monarfon.

GWILYM: O, wela i. Ia, wrth gwrs — dyma ni 'ntê, hogia?

GOGS: Ia. *(yn canu, ar y dôn 'Little Brown Jug')*
Ha ha ha! Hi hi hi!
Hogia'r Gogledd ydan ni!
Wedi dod i'r De am dro
I roi cweir i hogia'r glo!
(yn gweiddi)
Pwy 'dan ni? Pwy 'dan ni?
Hogia Môn a hogia Meirion,
Hogia Llŷn a hogia Arfon!
Un, dau, tri — ffwrdd â ni —
Gogs i gyd!

Y DORF: Ra! Ra! Ra-ra-ra! Ra-ra-ra-ra — ra-ra! *(yn canu)* Hip hwrê am hogs y Gogs!

TOMI M: Wel, mae'r amser yn mynd mlaen. Beth am ddechre'r gêm?

TOMI B: Falle fod yr ymwelwyr wedi blino ar ôl y daith.

GWILYM: Wedi blino? Dim ffiars o beryg! Mi rydan ni'n barod i guro hogia'r Sowth unrhyw bryd, yn tydan?

GOGS: Ydan!

TOMI M: Wado bois y De? Heddi fe gewch chi wers shwd mae chware rygbi'n iawn! Yntefe, bois?

Y DORF: Ie!

TOMI M: Am y cynta i'r cae!

Y DORF: Hwrê!
(Tomi Mawr yn arwain y ffordd)

GWILYM: Ar 'u hola nhw, hogia!
(y Gogleddwyr yn brysio ar eu holau)

JONES: Hei! Arhoswch i fi! *(yn cyfarch y gynulleidfa)* Beth amdanoch chi? Ydych chi am weld y gêm? Wel dowch ta!
(Yn rhedeg allan gan chwythu'r chwib. Mae'r dorf yn ymgasglu yng nghefn y llwyfan ac yn edrych allan i gyfeiriad y cae. Yna mae pum dyn yn dod i'r llwyfan — pum dyn pwysig yr olwg — wrth i'r dorf ymgasglu yn y cefn.)

Y DORF: Ra! Ra! Ra-ra-ra! Ra-ra-ra-ra — ra-ra!

LLAIS: Agi-agi-agi!

Y DORF: Oi-oi-oi!

LLAIS: Agi-agi-agi!

Y DORF: Oi-oi-oi! *(yn canu)* O! Dyma'r tîm gore *a.y.b.*
(Clywir telyn yn canu'r alaw 'Llwyn Onn'. Mae'r pump yn canu penillion.)

Y PUMP: Hei ho, wel dyma ni —
Pum pwysigyn, welwch chi,
Gweithio'n ddyfal a wnawn beunydd
I ddarganfod talent newydd;
Cyfrifoldeb ar ein sgwydde
I gloriannu pob rhyw chware,
Yna dewis y tîm gore.

Rŷn ni'n bump o ddynion praff,
Llygaid barcud, gwylwyr craff,
Gwŷr yn gwybod yr holl driciau,
Ni wnaiff neb ein twyllo ninnau;
Rhag ein gwg bydd pawb yn crynu —
Hysbys yw ein bod yn mynnu
Pymtheg glew fydd yn cyd-dynnu.

Gwelsom eisie Barry John!
Arthur Emyr, pawb o'r bron
Ddôn rhyw ddydd i orffen chware —

Mewn argyfwng byddwn ninne;
Wedi colli i'r Crysau Duon
Un prif orchwyl sydd yr awron —
Rhaid yw trechu tîm y Saeson!

Dyna pam y crwydrwn Gymru,
Gwlad y breintiau, gwlad y llymru,
Sicrhawn y bydd olyniaeth —
Er mwyn cael yr oruchafiaeth
Chwiliwn fechgyn dewr, llawn ynni,
Etifeddion gêm y cewri —
Mynnwn lewion i'r cae rygbi!

* * *

GOLYGFA 6

(Mae'r pump yn ymuno â'r dorf ac yn ymddiddori yn y chwarae. Mae'r dorf yn ebychu canmoliaeth gan weiddi, e.e. 'Hwrê!' 'Rheda Tomi Mawr!' 'Cic hi, bachan!' 'O! (siomedig) *Welest ti honna?' 'Hei, reff, wyt ti'n ddall?' Y gêm yn diweddu mewn bonllef a'r dorf yn gweiddi 'Ra! Ra!' a.y.b. Mae'r pum dyn pwysig yn mynd allan yn foddhaus ac yn sgwrsio'n ddyfal wrth i'r dorf ddod nôl i ganol y llwyfan a rhoi cymeradwyaeth i'r ddau dîm.)*

TOMI B: Be ti'n feddwl o'r gêm, te, Arfon?

ARFON: Ew! Gêm dda ar y naw, was, er i chi hogia'r Sowth ennill.

TOMI B: Dim ond o ddau bwynt — a chofia'n bod ni'n chware gartre a chithe wedi blino ar ôl y daith.

ARFON: Ella mai fel arall y bydd hi'r tro nesa, yntê?

TOMI B: Wnest ti fwynhau, Tomi Mawr?

TOMI M: Fe alle fod yn well — dim ond pymtheg pwynt sgories i.

MERCH: Fe chwariest ti'n dda ofnadw, Tomi!

TOMI M: Wel do. Mi weithiodd pethe mas yn dda i fi — ac fe wnest tithe'n weddol hefyd, Tomi Bach.

TOMI B: O — diolch.

TOMI M: Do wir, ar brydie. Ond mae tipyn 'da ti i ddysgu hefyd.

TOMI B: O?

TOMI M: Oes. Ches i ddim hanner digon o'r bêl.

TOMI B: O.

TOMI M: Naddo. Pam roet ti'n bwydo'r cefnwyr gymaint, dwy i ddim yn deall. O hyn i mas, cofia gicio'r bêl mlân — i **fi** gael mwy o gyfle.

ARFON: Dydw i ddim yn dallt — bwydo'r cefnwyr ydy'i waith o.

TOMI M: Clyw 'ma. Y blaenwyr sy'n ennill gêm rygbi, nid bois y cefen — gwaith caled yn y sgrym a'r llinell a'r sgarmes rydd nes bod yr ochor arall yn danto ac yn blino; torri trwodd wedyn drwy rym asgwrn a chyhyre a phwyse — dyna sy'n bwysig! A chofia di am dric Gary Owen slawer dydd — lan â hi a chwrs ar ei hôl hi — a gwae'r truan fydd yn y ffordd pan fydda i'n pystylad amdano fe!

ARFON: Ie, wir! Mi fydd gin i glais am wsnosa!

TOMI M: Felly, o hyn i mas, Tomi Bach, bwyda di'r blaenwyr os wyt ti am gadw dy le yn y tîm. Gwranda di arna i ac fe ddoi di'n chwaraewr eitha da ryw ddydd.

TOMI B: Mi wna i.

TOMI M: A rhyw ddydd, pwy all ddweud? Fe allet ddod i chware bron cystal â fi! Wrth gwrs os wyt ti am wella dy gêm ...

TOMI B: O, ydw!

TOMI M: Gwell iti'i siapo hi, achos mae'n bosibl na fydda i ddim yn gallu chware llawer i'r tîm ar ôl heddi.

TOMI B: Pam hynny? Dwyt ti ddim yn golygu rhoi'r gore iddi, does bosib?

TOMI M: Nac ydw, wrth gwrs. Ond mae 'na fwy nag un tîm i'w gael.

TOMI B: Aet ti byth at dîm arall?

MERCH: Adawet ti byth ein tîm ni?

TOMI M: Wel — mae'n dibynnu.

ARFON: Dibynnu ar be?

TOMI M: Welodd un ohonoch chi'r dynion diarth yn gwylied y gêm gynnau?

TOMI B: Naddo i.

ARFON: Dynion pwysig yr olwg — yn llygid i gyd?

TOMI M: Ie, dyna nhw. Pump ohonyn nhw, Tomi Bach!

TOMI B: Pump? Nid y pump!

TOMI M: Neb llai! Ac ar bwy feddyli di roedden nhw'n edrych?

TOMI B: Wel y nefi blŵ!

TOMI M: Yn hollol. Ac os ca i ddweud hynny, rwy'n meddwl iddyn nhw gael tipyn o agoriad llygad y prynhawn ma — er taw dim ond pymtheg pwynt sgories i. Rhyngon ni'n tri ...

ARFON: Ia?

TOMI M: Cofiwch, dyw hyn ddim yn swyddogol, chi'n deall.

TOMI B: Wrth gwrs.

TOMI M: Dim ond awgrym glywes i — ond fe fydd un neu ddau o wynebe newydd yn gwisgo'r crys coch ar ôl y Nadolig.

MERCH: *(yn edmygus)* O!

TOMI B: Wir?

TOMI M: Bydd, a dyna pam yr awgrymes i gynnau y gallwn i fod braidd yn brysur cyn bo hir.

TOMI B: Chware dros Gymru! Llongyf—

TOMI M: Na. Paid â dweud gair. Dim nes bydd hi'n swyddogol, o leia.

TOMI B: Na, na — wrth gwrs — dim gair wrth neb.

TOMI M: Rwyt ti'n gwybod beth mae hyn yn ei olygu?

TOMI B: Beth?

TOMI M: Os daw'r alwad imi fynd i wasanaethu'r genedl yn y frwydr fawr ...

TOMI B: Ie?

TOMI M: Os gwelir finne'n sefyll yn y rhengoedd ymhlith y cewri ...

ARFON: Ia?

TOMI M: Ysgwydd wrth ysgwydd â dewrion yr ymdaro ...

ARFON A TOMI: Ie?/Ia?

TOMI M: Yn wyneb haul a llygaid Gwalia a Chymru'n galw ...

PAWB: Ie?/Ia?

TOMI M: Pwy fydd ar ôl i gynnal breichie fy mrodyr ac i ddyrchafu enw'r ysgol yn fy absenoldeb?

PAWB: Tomi Bach?

TOMI B: Y fi?

TOMI M: Ie, wrth gwrs! Pam wyt ti'n meddwl mod i'n poeni am dy hyfforddi di a meithrin dy ddonie di — cyfeirio dy gamre petrus ar draws y dywarchen — os nad i warchod buddianne'r hen ysgol annwyl?

TOMI B: O, dweda di!

TOMI M: Oblegid wedyn mi alla i fynd yn hyderus oddi yma gan wybod dy fod ti'n gofalu am y tîm yn fy lle!

TOMI B: *(yn bles)* O!

TOMI M: Mawr fydd dy fraint; cymaint dy gyfrifoldeb; ond mi wn y gwnei di dy ore.

TOMI B: O gwnaf!

TOMI M: Rwy'n gwybod y byddi di'n ffyddlon i ddelfrydau ac uchel amcanion yr ysgol a'i thîm!

TOMI B: Byddaf!

TOMI M: Ac mi arweini di'r bechgyn i fuddugoliaethau di-rif?

TOMI B: Wrth gwrs y gwna i!

TOMI M: Rown i'n gwybod y gallwn i ddibynnu arnat ti. Mi gewch weld — wedi i fi ddysgu'r cyfan a wn i i Tomi Bach fe fydd tîm yr ysgol ar y blaen fel arfer.

LLAIS: Clywch! Clywch!

TOMI M: Yn fuddugol fel arfer!

TOMI B: Wrth gwrs!

TOMI M: Yn bencampwyr fel arfer!

Y DORF: Hwrê!

ARFON: Bron cystal â hogia Monarfon!
(chwerthin mawr)

Y DORF: *(yn canu a gorymdeithio allan)* 'O! Dyma'r tîm gore!'

GOLYGFA 7

(Gwilym ac Arfon yn dod i mewn)

GWILYM: Ble rwyt ti'n aros heno ma?

ARFON: Efo Tomi Bach. Beth amdanat titha?

GWILYM: Wst ti be? Aros efo hogan dw i! Pishyn reit ddel ydy hi hefyd!

ARFON: Wel, am hogyn lwcus!

GWILYM: Ia yntê? Ac nid dyna'r cyfan — mae hi 'di gaddo dod efo fi i'r pictiwrs heno ma!

ARFON: Ew, do?

GWILYM: Do, wir i chdi. Wedi'r cyfan mi ddeudodd rhen sgwlyn wrthyn ni am wneud ffrindia efo hogia Sowth 'n do?

ARFON: Do, ond ddeudodd o ddim byd am wneud ffrindia efo'r genod chwaith!
(allan â'r ddau'n llon)

GOLYGFA 8

(Tomi Bach ac Arfon yn cyrraedd y tŷ; Mam Tomi'n brysur.)

TOMI B: Hylô, Mam.

MAM: Tomi! Ble rwyt ti wedi bod gyhyd? Ddest ti â'r crwt o'r North gyda ti?

TOMI B: Do Mam, dyma fe i chi.

MAM: O — y — beth yw'r enw te?

TOMI B: Arfon.

MAM: Nid gofyn o ble mae e'n dod wnes i!

TOMI B: Arfon yw 'i enw fe, Mam!

MAM: O — wel, mae'n enw neis. Dda 'da fi gwrdd â chi, Arfon.

ARFON: Sut 'dach chi, Mrs Morris? Mae'n dda gin inna gwarfod â chitha.

MAM: Dei! Na siarad yn bert mae e yntefe? Wyt ti'n 'i ddyall e'n wilia, Tomi?

TOMI B: Odw'n weddol — dim ond iddo fe bido wilia'n rhy rhwydd.

ARFON: Sut dach chi'n ddeud?

MAM: Gofyn a wneuthum a oedd Tomos, fy mab, yn eich deall chwi yn siarad, Arfon, ac fe atebodd yntau ei fod yn ymdopi'n iawn, ond i chwi beidio â llefaru'n rhy gyflym.

ARFON: Ew! Mi rydach chi'n siarad reit ddel yn Sowth, ydach wir.

MAM: Atolwg i chwi gymeryd rhywbeth i'w yfed neu 'i fwyta?

TOMI B: Mam! Rŷch chi'n swno fel yr Archdderwydd yn gwmws! Siaradwch yn naturiol, da chi!

MAM: Ga i wir? Diolch byth! Nawrte, machgen i, dishgled fach o de i ddechre ife? A slishen o ham wedi'i ferwi a bara menyn a ...

ARFON: Dydw i ddim isio i chi fynd i draffarth, Mrs. Morris.

MAM: Trafferth? Dim trafferth o gwbwl, machgen i! Neu os nad ŷch chi'n ffansio rhywbeth ôr fe gwca i rywbeth twym i chi yn y funed. Toc o dost falle? A — beth am wi bach?

ARFON: O, na, dim diolch, mi rydw i newydd fod.

GOLYGFA 9

(Gwenno a Tomi Mawr yn dod i mewn yn meimio bwyta tships)

GWENNO: Ow! Maen nhw'n dwym!

TOMI M: M! Mae blas tân arnyn nhw!

GWENNO: O! Co le inni eistedd. Dere.

(Mae Tomi Mawr yn ei dilyn a'r ddau'n eistedd a bwyta'n hapus. Mae Tomi'n gorffen ac yn sugno'i fysedd ac yna'n syllu'n drachwantus arni hi.)

GWENNO: Licet ti ddim gorffen y rhain i fi? Rwy'n llawn.

TOMI M: *(wrth ei fodd)* M! Diolch.
(saib)

GWENNO: Ti'n lico tships ond wyt ti?

TOMI M: M! *(yn gorffen bwyta)* Roedden nhw'n neis iawn!

GWENNO: *(yn rhamantus)* Beth arall wyt ti'n lico te?

TOMI M: Sbageti.

GWENNO: Rhywbeth heblaw bwyd, w!

TOMI M: O. Rygbi!

GWENNO: A beth arall?

TOMI M: Wel — y — *(yn crafu'i ben, ond yn ofer)*

GWENNO: Wyt ti'n lico fi dipyn bach? *(yn nesáu ato)*

TOMI M: O — ydw!

GWENNO: Dim ond tipyn bach?

TOMI M: *(yn ymateb yn sydyn ac annisgwyl)* Wel, gad i fi ddangos iti!
(Mae'n cydio ynddi'n dynn ac yn ei chofleidio.)

GWENNO: Ow!
(Mae Mair a Gwilym yn dod i mewn yn gariadus, yn eu gweld

ac yn mynd atyn nhw'n ddistaw.)

MAIR: Oi! Oi! Beth sy'n mynd mlaen fan hyn yr amser yma o'r nos?
(Gwenno a Tomi'n neidio)

GWENNO: O! Mair! Fe halest ofn arna i. Chlywes i mohonoch chi'n dod!

MAIR: Dydw i ddim yn synnu. Roeddech chi braidd yn brysur! O — Gwenno — Gwilym.

GWILYM: Hylô 'na.

GWENNO: Hylô.

MAIR: Rŷch chi'ch dau wedi cwrdd, wrth gwrs.

TOMI M: Ydyn, yn y gêm prynhawn ma.

GWILYM: Fwy nag unwaith!

GWENNO: Wedi bod yn y pictiwrs, ife?

MAIR: Ie, a chithe.

TOMI M: O? Shwd wyt ti'n gwybod hynny?

MAIR: Pwy wyt ti'n feddwl oedd yn eistedd tu ôl i chi ac yn gweld y cyfan? Yntefe Gwilym?

GWILYM: Wel ia!

MAIR: Mi allwn i ddweud stori fach bert wrth dy fam, merch i!
(yn sydyn clywir Mam Gwenno'n galw)

MAM: Gwenno!

GWENNO: Rarswyd! Mam! Fe ga i hi os dalith hi ni fan hyn!

MAIR: Cuddiwch y ddau ohonoch chi!

GWENNO: Dere!
(Tomi a hi'n cuddio)

GWILYM: Be nesa!

MAIR: Cusana fi — gloi!

GWILYM: Be?
(Cyn iddo fedru cyffro mae Mair yn ei gofleidio wrth i fam Gwenno ddod i mewn; mae hi'n dal i wau.)

MAM: A! Dyma ti'r hoeden! Rwy i wedi dy ddal di o'r diwedd!

MAIR: Ow! O, hylô, Mrs Thomas.

MAM: O, ti sy 'na, Mair. Rown i'n meddwl mod i wedi clywed llais y groten 'na! Dwyt ti ddim wedi gweld Gwenno, wyt ti?

MAIR: Mi gweles i hi'r prynhawn 'ma, Mrs Thomas.

MAM: O diar! Dyw hi byth ar gael pan mae'i heisie hi arna i. Ble gall hi fod, sgwn i? Gyda'r hen grwt 'na, sbo.

MAIR: Pa grwt, Mrs Thomas?

MAM: Hwnna sy'n chware rygbi — Tomi rhywbeth.

MAIR: O, Tomi Mawr, chi'n feddwl? Ydyn nhw'n ffrindie, te?

MAM: Dim os ca i fy ffordd! Yr hen bwdryn! Dim ond yr hen gêm 'na sy ar 'i feddwl e — a hithe hefyd!

MAIR: O, wedwn i mo hynny.

MAM: O? Be ti'n feddwl?

MAIR: Mae Gwenno'n lico pethe eraill hefyd.

MAM: Fel beth?

MAIR: O — y — adar bach yn canu.

MAM: Mae e Tomi Mawr yn dipyn o dderyn hefyd, yn ôl beth rwy'n glywed! Meddwl 'i hunan mor bwysig, a'r merched i gyd yn ffoli arno fe! Wel os dalia i e'n gwneud ffŵl o Gwenno ni mi blufia i dipyn ar ei esgyll e! Wel, does dim golwg ohoni hi ffor' hyn — cystal i fi fynd adre, sbo.

MAIR: Be chi'n wau, Mrs Thomas?

MAM: Fest i Gwenno.
(Mae'n agor y gwau i lawr at ei gliniau.) At y gaeaf.

MAIR: Mi ddyle'i chadw hi'n gynnes!

MAM: Dyle, pan fydda i wedi'i gorffen hi! ... So long te!

MAIR: Ta ta.

MAM: Da boch chi.

MAIR: Iw-hw! Chi'ch dau! Mae hi wedi mynd!
(Gwenno a Tomi Mawr yn dod i'r golwg)

GWENNO: O! Diolch, Mair! Fe dala i'n ôl iti rywdro.

MAIR: Paid â sôn. Wel, awn ni te, Gwilym?

GWILYM: Iawn. Mae rhywbeth reit oer ynddi hi heno, on'd oes?

TOMI M: Hwyl te, chi'ch dou, a diolch.

MAIR: *(wrth fynd)* Hei! Tomi!

TOMI M: Ie?

MAIR: Fe gadwi di Gwenno'n gynnes, 'n gwnei di?
(Gwenno'n eistedd)

TOMI M: Gwell i ninne fynd hefyd.

GWENNO: Pam? Mae'n noson hyfryd!

TOMI M: Meddwl oeddwn i y gallen ni weld gêm ar y teledu — Aberafon yn erbyn Llanelli!

GWENNO: A gwastraffu noson mor hyfryd!

TOMI M: *(yn teimlo'n oer)* Beth sy'n hyfryd obeutu hi?

GWENNO: Gwranda! Eos! *(clywir sŵn aderyn)* Mor rhamantus!
TOMI M: Yr hen gwdihŵ 'na ti'n feddwl?

GWENNO: Ac edrych ar y lleuad 'co — lleuad lawn, lleuad Fedi! 'Dim ond lleuad borffor ar fin y mynydd llwm.'

TOMI M: Porffor neu beidio, mae'i siâp hi'n anniddorol tost!

GWENNO: Be ti'n feddwl? Mae hi fel pêl gron!

TOMI M: Ydy, fel pêl ffwtbol! Hei, beth am fynd nôl i'r tŷ?

GWENNO: Tŷ chi?

TOMI M: Ie, mae pawb mas. Fe allen ni eistedd yn y lolfa, yn y tywyllwch!

GWENNO: O! Tomi!

TOMI M: A gweld y gêm!

GWENNO: O! *(yn anfodlon)* Mae'n well 'da fi eistedd fan hyn ... Dere, wir. *(Tomi'n eistedd; saib)* Tomi ...

TOMI M: Ie?

GWENNO: Diolch am fynd â fi i'r pictiwrs heno. Fwynheuest ti?

TOMI M: Do.

GWENNO: A finne hefyd. Roedd hi mor rhamantus gyda'n gilydd.

TOMI M: Ffilm dda hefyd.

GWENNO: 'Teenage Love' *(yn ochneidio'n hapus)*

TOMI M: Rown i'n lico'r ffilm arall — 'Y Llewod yn Zeland Newydd!'

GWENNO: Roedd yn brofiad gwefreiddiol.

TOMI M: Eistedd fan'na yn y tywyllwch.

GWENNO: Yn dal dwylo!

TOMI M: Yn syllu ar y sgrîn.

GWENNO: A mhen i ar d'ysgwydd di.

TOMI M: A nghalon i'n curo'n wyllt!

GWENNO: A f'un inne hefyd!

TOMI M: A'r iase rhyfedda'n rhedeg lan a lawr fy asgwrn cefen i.

GWENNO: Finne'r un peth yn gwmws.

TOMI M: Nes bo fi'n ffaelu'n lân ag eiste'n llonydd!

GWENNO: O! Tomi! Wyddwn i ddim dy fod ti'n teimlo felna!

TOMI M: Wel, roedd hi'n anodd peidio a finne wedi 'nghynhyrfu cymaint!

GWENNO: O! Tomi! Beth wyt ti'n trïo'i ddweud?

TOMI M: Mae'n biti fod rhaid i heno ddod i ben. Liciwn i tase'r ffilm 'na'n mynd mlân am byth.

GWENNO: Ond fe allwn ni gael llawer noson debyg iddi eto — ni'n dau — gyda'n gilydd.

TOMI M: Gallwn, sbo.

GWENNO: Mi fyddwn ni'n dau'n ddeunaw oed yr haf nesa.

TOMI M: Byddwn.

GWENNO: Allen nhw mo'n stopio ni wedyn!

TOMI M: Bob nos!

GWENNO: *(yn swil)* O Tomi! Paid â bod mor drachwantus!

TOMI M: Meddylia. Stafell dywyll ...

GWENNO: Ie!

TOMI M: Soffa ...

GWENNO: Ie!

TOMI M: Finne'n estyn fy llaw a gwasgu'r botwm.

GWENNO: *(yn sydyn)* Gwasgu'r botwm?

TOMI M: Ond allen ni mo'i gael e bob nos chwaith, erbyn meddwl.

GWENNO: O? Pam?

TOMI M: Dim ond dwywaith yr wythnos maen nhw'n dangos rhaglenni rygbi.

GWENNO: RYGBI!?

TOMI M: Wyt ti'n cofio pan redodd Arthur Emyr dros hanner y cae?

GWENNO: Dwy i ddim isie clywed am Arthur Emyr!

TOMI M: A dyna'r tro pan giciodd Paul Thorburn gôl adlam jyst cyn y diwedd.

GWENNO: Na Paul Thorburn chwaith! Wfft i ti! Dim ond yr hen gêm ddwl 'na sy ar dy feddwl dryw bach di! A finne'n credu dy fo ti'n fy lico i tipyn bach — a mwy na thipyn bach. A nawr rwy'n gweld taw esgus oedd y cyfan!

TOMI M: Ond ...

GWENNO: Iase'n mynd lan a lawr dy asgwrn cefen, myn brain i! ...

TOMI M: Rown i'n dweud y gwir, ferch! Dyna pryd sgoriodd Arthur Emyr 'i drydydd cais!

GWENNO: *(yn rhoi sgrech)* OW! Rwyt ti'n amhosibl! Roedd Mam yn eitha reit! fe ddylwn i fod wedi gwrando arni yn y lle cynta. *(yn ddagreuol)* Cer i'r tŷ i weld dy hen ffilm rygbi! Rwy'n mynd adre!
(Mae'n rhedeg allan.)

TOMI M: Wel i myn yffach i! Beth dw i wedi'i ddweud nawr?
(Mae'n eistedd, yn meddwl, a chrafu'i ben, yna mae'n dechrau hepian a chysgu. Yn y cefndir mae'r dorf yn sibrwd y gân 'Tomi sy'n lico merched pert'. Yna clywir meddyliau Tomi ar dâp.)

LLAIS TOMI: Rhyw ddydd, cyn bo hir, mi fydda i'n chware dros Gymru *(Tomi'n gwenu)* — yn gapten ar dîm Cymru. *(gwenu'n fwy)* Parc yr Arfau, Murrayfield, Lansdowne Road, Parc des Princes, Twickenham! Yn arwain y tîm cenedlaethol i fuddugoliaeth genedlaethol. Fe fydda i'n fyd-enwog. Bydd y mawrion i gyd yn ysgwyd llaw â fi ... Hm-m-m *(ochenaid hapus).*

Y DORF: *(yn sibrwd)* Naw! Saith! Pump! Tri! Pwy yw'r un a garwn ni? Tomi Mawr!
(Tomi Mawr yn deffro, codi'n flinedig, ymestyn a mynd allan.)

GOLYGFA 10

(Criw teledu'n dod i mewn gan gadw i un ochr.)

SWYDDOG: This way, sir. Stand here, will you, please?

Y CYHOEDDWR: Here?

SWYDDOG: Smashing! *(yn galw)* Right! Quiet everybody! Camera on! Ten seconds!
(Mae'n rhoi arwydd i'r cyhoeddwr; clywir pwt o gerddoriaeth.)

CYHOEDDWR: Bore da Gymru! A chroeso i raglen arall ar Sianel Pedwar Cymru. Yn ein rhaglen gyntaf heddiw mi fydd ein camerâu yn crwydro o gwmpas Cymru i ddod â'r newyddion diweddaraf yn fyw o flaen eich llygaid, gan gynnwys adwaith y bobl i gêmau rygbi'r Sadwrn diwethaf; yr wythnos yn y Senedd; yr argyfwng economaidd a'r rhagolygon am y Goron Driphlyg. Ond, yn gyntaf, egwyl fer.

HYSBYSEBWR: Mynnwch GOLCHO! Y powdwr gorau at olchi popeth stecslyd, chwyslyd a bawlyd!

HYSBYSEBREG: Gora po futra!

HYSBYSEBWR: Gora po frynta! *(Y ddau'n rhannu'r ddialog.)* Crysau rygbi ... carthenni a llenni ... trôns Mr Jones ... coban yr hen fodan ... grêt at ddillad diwetydd ... llnau llieiniau ... cannu cewynnau ... a phechodau ... telerau gostyngol i aelodau'r Orsedd! Felly, wragedd Cymru, pan ddaw bore Llun nesaf — gwaeddwch am GOLCHO, golchwr gore Gwalia!

GRŴP: *(yn canu ffalsetto'n gyflym ar y dôn 'Jingle Bells')*

Golchi crys, golchi crys, golchi crys yn lân;
Triwch chi ein powdwr ni nawr yng ngwlad y gân!
Ffrogiau pert, blows neu sgert, dillad drud neu wael
Yn eich twb, heb ddim rwb, olchir yn ddi-ffael!
GOLCHO!

CYHOEDDWR: Croeso nôl! Ac yn awr mae'n bryd inni fynd drosodd i neuadd un o ysgolion cyfun mwyaf ac enwocaf ein gwlad i gwrdd â'r prifathro, Doctor Cadwaladr Puw, B.Ed., ac i glywed y newyddion syfrdanol diweddaraf o fyd rygbi ac addysg. Drosodd â ni.

(Y dorf yn gorymdeithio i mewn gan chwibanu 'Sosban Fach'. Dilynir nhw gan yr athrawon, a'r plant yn chwibanu, ac yna'r prifathro.)

PUW: Diolch yn fawr! Diolch yn fawr am eich croeso brwdfrydig i'r athrawon a minnau, blant, ar y bore hyfryd hwn o hydref heulog! *(yn troi at y camera)* A chroeso i chithau i'r ysgol gyfun enfawr a blaengar hon. Rwy'n falch eich bod wedi troi i mewn aton ni'r bore 'ma i gael cipdrem ar fy Ngweledigaeth Fawr o'r addysg orau bosibl yn yr oes oleuedig hon. Yn yr ysgol hon fe welwch ffrwyth yr ymchwil diweddaraf ar waith beunydd — mae gen i seiciatrydd yn gofalu am unrhyw broblemau meddyliol — *(gwelir meddyg yn rhedeg heibio ar ôl un o'r athrawesau)* — cymdeithasegwr yn trin y problemau cefndir *(gwelir cymdeithasegwyr yn crasu bachgen â gwialen ar ei ben-ôl)* ac athrawon ymroddgar a brwdfrydig! *(gwelir yr athrawon yn diogi, cysgu, darllen papur newydd)* Mae yma uned chweched dosbarth lle gall y bobl ifainc dyfu'n ddinasyddion cyfrifol *(gwelir grŵp o blant yn pasio 'reefer' o geg i geg)* a chyfle i bob disgybl ddilyn ei amryfal ddiddordebau mewn cytgord a chydraddoldeb *(gwelir pedwar disgybl yn chwarae cardiau ac yn ffraeo)* ac yn goron ar y cyfan, y tîm rygbi gorau yng Nghymru! Mewn gair, ysgol gyfun o'r iawn ryw!

Y DORF: Ra! Ra! Ra-ra-ra! Ra-ra-ra-ra — ra-ra!

PUW: Mae'n briodol iawn fod camerâu teledu S4C yma heddiw o bob diwrnod, oblegid mae gyda ni yn yr ysgol hon reswm arbennig iawn dros ddathlu'r diwrnod arbennig hwn. Hir y cofir amdano yng nghof pawb sydd yma'r bore 'ma, rwy'n siŵr, oherwydd y newydd pwysig rwy i ar fin ei gyhoeddi. Ond cyn gwneud y cyhoeddiad pwysig hwn sydd o'r pwys mwyaf i bawb yn yr ysgol flaengar hon, ac yn wir i holl garedigion rygbi a diwylliant, rhaid imi beidio ag anghofio estyn croeso i'r ymwelwyr ifainc o Fonarfon sydd wedi dod aton ni am yr wythnos er mwyn inni gael rhoi tipyn o hyfforddiant iddyn nhw yn y gêm genedlaethol.

Y DORF: *(Yn canu)* Hip hwrê am hogs y Gogs! *a.y.b.*

PUW: Fel y gwelwch chi, mae pawb yma'n falch dros ben o gael cwmni ein cyd-Gymry yn ystod yr wythnos hon, ac rydyn ni i gyd yn unfryd gytûn yn ein sêl wlatgar.

TOMI M: I wado'r Saeson yn Twickenham!

PAWB: Hwrê!

PUW: A chyda'r amcan clodwiw hwnnw mewn golwg mae'n hyfrydwch mawr gen i wneud y cyhoeddiad pwysig hwn! *(saib ddramatig)* Ddydd Sadwrn diwethaf fe gawsom y pleser o groesawu bechgyn Monarfon i faes y gad — y gêm. A gêm dda oedd hi hefyd. Syndod i rai ohonom oedd fod yr ymwelwyr wedi chwarae bron cystal â'n bechgyn ni. Ond o gofio mai un o Ynys Môn yw ein hathro chwaraeon, dyw hi ddim yn syn i eraill ohonom i'r gêm fod mor gyfartal.

TOMI M: Nag yw, chware teg.

PUW: Yn ddiarwybod i'r chwaraewyr, roedd ymwelwyr pwysig yn craffu ar y chwarae ac yn pwyso a mesur pob gwendid a rhagoriaeth, ac o ganlyniad fore heddiw fe dderbynies i'r neges ganlynol. *(yn clirio'i wddw'n bwysig)*

CYHOEDDWR: Ond i gael y neges bwysig hon o lygad y ffynnon draw â ni i stiwdio rygbi S4C! *(gwelir y pum pwysigyn yn barod i lafarganu'n eglwysig)*

Y PUMP: Yn gymaint â'n bod ni'r Pump Pwysig wedi bod yn gwylied y gêm rhwng eich ysgol chi a hogiau Monarfon ...

TOMI M: Ie.

Y PUMP: Ac yn gymaint â'n bod ni'r Pump Pwysig wedi synnu a rhyfeddu at safon uchel y chware ...

Y DORF: Ie!

Y PUMP: Ac yn gymaint â'n bod ni'r Pump Pwysig yn dyfal chwilio am fechgyn ifainc dawnus ac ymroddgar i lenwi'r bylchau a adawyd yn rhengoedd y tîm cenedlaethol oherwydd traul creulon amser a henaint a swyddi bras gyda'r cwmnïau teledu ...

Y DORF: Wel?

Y PUMP: Mae'n hyfrydwch gennym ni gyhoeddi bod dau o'r rhai oedd yn chwarae yn y gêm rhwng eich ysgol chi a hogiau Monarfon wedi eu dewis i chwarae dros eu gwlad!

Y DORF: Hwrê!

PUW: Ac felly, gyfeillion, cyhoeddaf yn awr fod y ddau ganlynol i'w capio dros Gymru y bore hwn! Yn gyntaf, Arfon o Fonarfon!

GOGS: Pwy ŷm ni *a.y.b. (yn cario Arfon o gwmpas)*

PUW: A'r ail enw — Tomi Morris.

TOMI M: Beth?

LLAIS: Tomi Bach, myn brain i!

Y DORF: Hwrê, Tomi Bach! *(yn codi Tomi Bach ac yn gorymdeithio)* Ra! Ra! Ra-ra-ra! Ra-ra-ra-ra — ra-ra! Naw! Saith! Pump! Tri! Pwy yw'r un a garwn ni? Tomi Bach!

PUW: Llongyfarchiadau cynnes i chi'ch dau!

ARFON: Wel, diolch yn fawr.

TOMI BACH: Diolch yn fawr. Ond ydych chi'n siŵr nad ŷch chi ddim wedi gwneud camsyniad? Doeddwn i ddim yn disgwyl ...

PUW: Na, Tomi Bach, does dim camsyniad. Ti sy wedi'i ddewis.

TOMI M: Beth amdana i?

PUW: Mae'n flin gen i, Tomi Mawr — y tro nesa, efallai.

Y DORF: *(mewn cydymdeimlad)* O! *(Mae Tomi Mawr yn wynepdrist)*

MERCH: *(yn addolgar)* O! Tomi! *(Mae Tomi Mawr yn ymsionci ond mae'r merched yn rhuthro heibio iddo ac yn ymgasglu o gwmpas Tomi Bach.)* Tomi! Ti yw'n ffefryn ni nawr, Tomi Bach! *(gwichiadau, a.y.b.)*

PUW: Ac yn awr — y seremoni!
(Y dorf yn ad-drefnu'n gefndir i'r seremoni; yr athrawon fel aelodau'r Orsedd; bechgyn mewn dillad rygbi'n gwneud dawns flodau; Gwenno a gosgordd o ferched yn cyflwyno pêl rygbi i Puw. Clywir y ddawns a gorymdaith yr aberthged ar y delyn, cerddoriaeth chwisl dun.)

GWENNO: Hybarch archsgwlyn! Atolwg iti dderbyn yr aberthbêl hon!

PUW: Diolch, fy merch; derbyniaf yn llawen gan addo hanner diwrnod o wyliau i chi'r dwthwn hwn!

Y DORF: Hwrê!

PUW: Ac yn awr, ymgrymed y ddau ohonoch ger fy mron! *(Puw yn codi gwialen fel cledd yr Orsedd uwch eu pennau)* Gêm i'w chofio — a oes rygbi?

PAWB: Rygbi!

PUW: Cymru yn erbyn Lloegr — a oes rygbi?

PAWB: Rygbi!

PUW: Ein gwŷr yn erbyn y byd — a oes rygbi?

PAWB: Rygbi!
(Puw yn capio'r ddau)

Y DORF: Hwrê!

PUW: Ac yn awr fe derfynwn y bore 'ma drwy gydganu anthem yr ysgol i ddathlu'r achlysur pwysig hwn ac i ddangos ein gwerthfawrogiad o'r ddeuddyn ifanc hyn a anrhydeddwyd heddiw. A phan fydd Tomi Bach ac Arfon yn sefyll ar dywarchen y Sais yn Twickenham a bloeddiadau'r genedl yn atsain yn eu clustiau ac yn eu cario ymlaen ar don o gariad at ein gwlad i fuddugoliaeth, gwyddom bawb y byddan nhw ill dau yn siŵr o gynnal traddodiadau gorau ein dwy ysgol ar y diwrnod bendigedig hwnnw! Yr anthem!

PAWB:

I bob un sy'n ffyddlon
I'n tîm rygbi ni,
Mae gan Tomi goron driphlyg,
Welwch chi.
Cymru'n erbyn Lloegr

Ydy'r frwydr fawr —
Rhaid yw concro'r gelyn,
Rhaid ei gael ar lawr!

Cytgan: I bob un sy'n ffyddlon, *a.y.b.*

LLAIS: Agi-agi-agi!

PAWB: Oi-oi-oi! Hwrê!

(Gorymdeithio o gwmpas tra bo ffotograffwr yn tynnu lluniau. Puw yn mynnu bod yng nghanol y llun. Fflach fawr a phawb yn 'rhewi'.)

RHAN 2

GOLYGFA 1

(Sesiwn Hyfforddi)

Y DORF: Naw! Saith! Pump! Tri! Pwy yw'r un a garwn ni? Tomi Bach!

JONES: Reit! Rŵan ta, fe dreiwn ni hwnna eto.
(y tîm yn ochneidio, wedi blino'n lân) Dewch o 'na'r tacla! Lawr â chi'r munud ma! *(y sgrym yn ffurfio, y bêl gan Tomi Bach)* Rŵan Tomi, mewn â hi reit sydyn!

TOMI B: O'r gore, Mr Jones.

JONES: Dowch! Gwthiwch fel tasa chwant arnoch chi! *(I mewn â'r bêl)* Sodla hi'r llipryn hurt! Rŵan Tomi, am yr ochr dywyll!

LLAIS: Dere mlân, Tomi!
(Mae'r bêl yn dod i ddwylo Tomi Bach ac mae'n rhedeg y tu cefn i'r sgrym o'r golwg).

Y DORF: Hwrê!

TOMI B: *(yn dod nôl)* Shwd oedd hi'r tro 'na, syr?

JONES: Ardderchog, Tomi! Welis i monot ti'n mynd o gwbwl! Os gwnei di cystal ddydd Sadwrn mi fydd y gêm yn dy boced!

TOMI M: Beth nesa, syr? Llinell? *(y tîm yn ochneidio eto)*

JONES: Dowch! Ydych chi'n cysgu ta beth?

UN O'R TÎM: Wedi colli 'ngwynt, syr.

JONES: A finna'n colli 'ngwallt! Be wnei di yn y gêm wsnos nesa, gofyn i'r ochr arall stopio am bum munud i ti gael dy wynt nôl? Dal ati, hogyn, neu mi dy flinga i di'n fyw!

UN O'R TIM: *(yn brysio i'r llinell)* Na, syr!

JONES: Dyna welliant! Rŵan ta — y bêl!
(Wrth i'r bêl ddod mae Tomi Mawr yn neidio amdani ac yn torri'n rhydd — Jones yn chwythu'r chwib.) Be haru ti'r mul? Pasia hi nôl i Tomi Bach er mwyn popeth. Rwyt ti'n gwybod mor bwysig ydy hi iddo fo gael digon o ymarfer cyn dydd Sadwrn!

TOMI M: *(yn isel)* Ydw syr. Anghofio wnes i. Rwy i wedi arfer bod yn geffyl blân, chi'n gweld.

JONES: Wel, hidia befo. Dydy hi ddim yn beth hawdd i un yn dy safle di roi'r flaenoriaeth i neb arall, ond fe ddaw dy gyfle ditha ryw ddydd, fe gei di weld.

TOMI M: Ond nid y Sadwrn nesa, syr.

JONES: Twt! Ti ydy'r capten yma o hyd, yntê?

TOMI M: *(yn hapusach)* Ie, syr! Ac fe fydda i'n gweiddi cymaint â neb bnawn Sadwrn pan fydd Tomi Bach yn chware dros Gymru!

Y DORF: Hwrê! Tomi Bach! Naw! Saith! Pump! Tri! Pwy yw'r un a garwn ni? Tomi Bach!
(Y tîm yn codi Tomi Bach, yn gorymdeithio, a'r dorf yn ymuno.)

JONES: Hei! Dyna ddigon! Stopiwch! *(Allan â'r tîm a Jones yn rhedeg ar eu hôl, gan chwythu'r chwib)* O! Cystal imi siarad â'r wal!

Y DORF: Ra! Ra! Ra-ra-ra! Ra-ra-ra-ra — ra-ra!
(yn canu) O! Dyma'r tîm gore *a.y.b.*

GOLYGFA 2

(Tomi Bach a'i rieni)

TOMI B: Wel, rwy'n mynd te, nhad.

TAD: Gad i fi gael golwg arnat ti. *(yn symud yn llafurus)* Wel!

TOMI B: Oes rhywbeth o'i le?

TAD: Hm — fe wnei di'r tro, sbo. Aros funud, rwyt ti wedi anghofio rhywbeth.

TOMI B: O? Na, mae popeth miwn 'da fi rwy'n credu.

TAD: Beth am hwn te? *(yn nôl y cap rygbi ac yn ei roi ar ben Tomi)* Ti'n edrych yn iawn nawr.

TOMI B: Alla i ddim mynd â'r cap, nhad!

TAD: O? Pam lai?

TOMI B: Fe alle gael 'i dorri'n yfflon rhacs neu gael 'i ddwgyd.

TAD: *(yn siomedig)* O.

TOMI B: Gwell i fi'i adel e gartre.

TAD: Wel, falle dy fod ti'n iawn.

TOMI B: Wnewch chi ofalu amdano fe i fi? *(yn rhoi'r cap iddo)*

TAD: Wrth gwrs, machgen i. Mi ddweda i wrthyt ti beth, fe gaiff ishte ar ben y teledu pan fydda i'n edrych ar y gêm! Shwd bydd hynny?

TOMI B: I'r dim, nhad ... Trueni na allech chi ddod gyda fi. Fe rown i unrhyw beth am eich gweld chi lan yn y stand.

TAD: Fe liciwn inne yn 'y nghalon i fod yno, ti'n gwybod hynny, Twm bach, ond dyw'r hen fegin ma ddim yn ddigon cryf. *(yn peswch)* Ond rwy'n ddiolchgar hefyd.

TOMI B: Yn ddiolchgar? Am beth? Fod eich sgyfaint chi'n llawn o lwch?

TAD: Nage, yn ddiolchgar dy fod ti'n cael mynd i'r coleg ac na fydd rhaid i ti fyth gropian ar dy fola yng nghrombil y ddaear! Ond 'na fe, fe ga i weld y gêm yn gysurus reit fan hyn ac fe fydda i'n gweiddi fel pawb arall. A beth yw'r ots os na fyddi di'n gallu 'nghlywed i? Fe glywiff dy fam! Os na fydd hi'n gweiddi gormod!

TOMI B: Os wy'n nabod Mam, cwato tu ôl i'r gader fydd hi!

TAD: *(yn ysgafn)* Ie, siŵr o fod. Wel te, Twm Bach, pob lwc iti — a gwna dy ore.

TOMI B: Diolch, nhad.

(yn troi i fynd; mae'i fam yn brysio i mewn)

MAM: Tomi! Does bosib dy fod ti'n golygu mynd heb weud gwdbei!

TOMI B: O nac oeddwn, Mam.

MAM: Ydy popeth 'da ti? Crys glân? Sane glân? Ble mae dy droed gwningen di?

TOMI B: Dyma hi, Mam. Awn i byth heb hon.

MAM: Gwisga dy sgarff rhag ofn iti ddal annw'd, a ble mae dy fenig di?

TOMI B: Mi fydda i'n iawn, Mam, wir! *(yn ei chusanu ar ei boch)* Ta-ta nawrte.

TAD: Pob lwc iti, machgen i!

MAM: O diar! 'Y machgen bach i! *(yn crio)*

TAD: Beth sy'n bod, Meri?

MAM: O! Rwy i mor hapus!

GOLYGFA 3

(Cartref Arfon)

MAM: Arfon! Arfon! Tyd o'na, hogyn! Mi golli di'r trên!

ARFON: Reit, Mam. Rwy'n dod y munud ma!

MAM: Dyma chdi o'r diwadd. Ydy popath gin ti?

ARFON: Ydy, Mam — pob dim.

MAM: Wel mi ddyla fod. Rwyt ti wedi treulio digon o amsar yn pacio! Be fuost ti'n wneud — sgwennu hunangofiant?

ARFON: O Mam!

MAM: Ble mae dy ddillad chwarae di?

ARFON: Gin i'n fama.

MAM: Brwsh gwallt? Brwsh dannadd a sebon — a dillad nos?

ARFON: Ylwch, Mam, nid hogyn bach ydw i!

MAM: Hy! Mae'n anodd coelio hynny weithia! Wyt ti'n siŵr fod popath gen ti?

ARFON: Nefi blw, Mam! Sawl gwaith mae'n rhaid deud?

MAM: Ie, wel, o'r gora — gwell iti fynd ta.

ARFON: Iawn ta. Wel, mi a i ta.

MAM: Rwyt ti **wedi** anghofio rhywbath.

ARFON: Beth?

MAM: Cusan i dy fam!

ARFON: O, sori! *(yn ei chusanu ar ei boch)*

MAM: Cofia ffônio adra wedi iti gyrraedd Llundain.

ARFON: Reit, Mam.

MAM: A gwna'n siŵr nad ydy'r gwely ddim yn damp ac os bydd o cofia ofyn am stafell arall.

ARFON: Mi wna i, Mam.

MAM: A bydd di'n ofalus yn Llundain 'cw. Lle peryg ydy Llundain am geir a ballu yn mynd ffwl-sbîd.

ARFON: O'r gora, Mam.

MAM: A phaid ti â siarad efo genod diarth. Mae 'na lawer o genod yn Llundain neith ddwyn d'arian di cystal â deud hylô.

ARFON: Mi fydda i'n ofalus, rwy'n addo.

MAM: Ia, wel oreit ta. Ta ta rŵan a gwna dy ora pnawn fory. Dangos di iddyn nhw dy fod ti cystal â nhw i gyd! *(Yn crio)* Tasa dy dad yn fyw i weld ei hogyn yn chwara dros Gymru dyna falch fydda fo!

ARFON: Ia, dyna chi, Mam.
(yn ei chysuro)

MAM: Ia, wel — gwell iti fynd.

ARFON: Ta ta! Wela i chi nos Sul ta!

(Mae Arfon yn mynd. Saib. Yna mae'n dod nôl) Y — hylô ...

MAM: Brensiach annwyl heb fynd wyt ti byth? Be sy?

ARFON: Dydach chi ddim wedi digwydd gweld fy sgidia rygbi i yn rhywla, nagdach?

GOLYGFA 4

Y DORF: *(yn canu)* Pam rŷn ni'n aros? *a.y.b.*

GWILYM: Tyd o'na, Arfon! Mae pawb yn disgwyl!

Y DORF: Arf-on! Ra-ra-ra! Arf-on! Ra-ra-ra! Hwrê!
(Wrth i Arfon ddod atyn nhw mae'r dorf yn ei godi ac yn ei gario oddi ar y llwyfan i drên anweledig.)

LLAIS: Hwyl iti fory, Arfon!

GWILYM: Welwn ni chdi fory, Arfon! Hwyl!

Y DORF: Hwyl! Arf-on! Ra-ra-ra! (yn canu ar y dôn 'Rhyfelgyrch Capten Morgan')

> Rhwym wrth dy wregys drowsus gwyn dy dad
> I chwarae rygbi dros dy wlad!
> Ergyd dros Gymru fory fydd dy fraint —
> Cael buddugoliaeth o flaen y saint.
> Arfon! Arfon! Uchel yw mewn bri,
> Un o hogia'r Gogledd — ein harwr ni!
> Arfon! Arfon! Uchel yw mewn bri,
> Un o hogia'r Gogledd — ein harwr ni!
> *(Yn gweiddi)* Ar-fon! Ra-ra-ra! Hwrê!

GOLYGFA 5

GWILYM: Fory mi fydda i yn Llundain efo'r hogia i gyd. Y diwrnod mawr y buon ni'n disgwyl amdano ers wythnosa! Mi fasech yn disgwyl i hogia Sowth fwydro'u penna efo'r peth ond mae petha'n ferw gwyllt fforma hefyd ers i Arfon gael 'i ddewis. Ac mae'r genod mor frwd â'r hogia bob tamad! Ew, pwy fasa'n meddwl? Hogia Bethesda a Llangefni, a'r Bala hyd yn oed, yn chwara rygbi! Ond mae hynny'n well na chael hogia Lerpwl yn chwara dan enw timau o Gymru, ontydi? O leïa, hogia ni ydy'r rhain, a'n genod ni fydd yn gweiddi hwrê bob pnawn Sadwrn, run fath â genod y Sowth. Am groeso gawson ni ganddyn nhw! Y petha bach dela welis i rioed. Mor ffraeth ac mor fywiog, a'u llgada nhw'n pefrio! Sgwn i sut mae Mair? Dyna wythnos

hapusa mywyd i, yr wythnos ges i yn y De yn 'i chartra hi. Rwy'n siwr nad oes 'na'r un hogan debyg iddi yn y byd, efo'i gwallt cyrliog a'i thrwyn bach pwt, a'i dannadd gwynion! 'Dau lygad disglair fel dwy em'! Dyna Mair i'r dim i chi — fel tasa'r bardd yn 'i nabod hi fel finna ac yn ffoli arni hi fel rydw i! Beth arall ddeudodd o? 'Lliw a blas y gwin'. Ia, felna'n union. Mair! *(ochenaid)* Gobeithio y ca i 'i gweld hi yn Llundain yfory.
(Mae'n ochneidio wrth fynd allan. Mae dwy ferch yn dod ymlaen, wedi bod yn clustfeinio arno.)

GWEN: Druan o Gwilym! Mae o di'i dal hi'n arw!

LISI: Hy! I be' mae o isio mynd i'r De i chwilio am gariad? Dydy'n genod ni ddim yn ddigon da iddo fo!

GWEN: Welist ti mor anhapus oedd o?

LISI: Does gen i ddim amynedd efo fo! Wythnos y buo fo yn y De 'cw ac mae o 'di colli'i ben dros yr hogan gynta welodd o!

GWEN: Chware teg — mae Arfon yn deud 'i bod hi'n ddel iawn.

LISI: Yn ddelach na genod ni, decini.

GWEN: Wn i ddim am hynny. Peth dall ydy cariad, wsti.

LISI: Ia! Dydy Gwilym ddim yn gweld yn bellach na blaen 'i drwyn! Mae 'na ddigon o genod del iddo fo ddewis ohonyn nhw yn 'i ymyl o!

GWEN: Run fath â chdi, mae'n siŵr.

LISI: Naci.

GWEN: Rwyt ti'n gwrido!

LISI: Nacdw!

GWEN: Wyt! Mi gwela i hi rŵan. Rwyt titha mewn cariad efo Gwilym!

LISI: Paid â deud wrth neb!

GWEN: Mi fydd y genod wrth 'u bodd!

LISI: Siarada i fyth efo chdi eto os deudi di!

GWEN: *(yn chwerthin)* Cogio roeddwn i! Mi rydan ni'n dwy'n ffrindia, tydan? Ddeuda i run gair wrth neb.

LISI: Wyt ti'n gaddo?

GWEN: Run gair! Gwranda, rwyt ti'n gofidio gormod. Mi fydd o wedi anghofio amdani ymhen mis neu ddau, mi gei di weld.

LISI: Wyt ti'n meddwl hynny, wir?

GWEN: Yndw siŵr! Tyd, cod dy galon, hogan. Nid Gwilym ydy'r unig bysgodyn ar lan y Fenai.

GOLYGFA 6

GWENNO: Iw-hw! Mair! Wyt ti'n barod?

MAIR: *(yn ddigalon)* Hylô.

GWENNO: Wyt ti wedi gorffen paco?

MAIR: Nagw.

GWENNO: Nag wyt? Ond mi fydd y bws yn cychwyn ymhen hanner awr. Dere, mwstra ferch!

MAIR: I beth? Dwy i ddim yn mynd i Lundain.

GWENNO: Beth? Ddim yn mynd? Beth sy'n bod? Wyt ti'n dost? *(Mair yn ysgwyd ei phen)* Wel, beth sy'n bod te?

MAIR: Rwy i wedi newid fy meddwl.

GWENNO: Dwy i ddim yn deall.

MAIR: Dim diddordeb.

GWENNO: Dim diddordeb? Paid â siarad dwli! Rŷn ni i gyd wedi bod yn edrych mlân at heddi ers wn i ddim pryd! Beth wede Tomi Bach tase fe'n dod i wybod dy fod ti wedi pallu dod i'w weld e'n chware yn Twickenham?

MAIR: Sdim ots 'da fi.

GWENNO: Mae'n ddyletswydd arnat ti i ddod i'w gefnogi e. Heblaw hynny, rwyt ti wedi talu am docyn.

MAIR: Digon hawdd gwerthu hwnnw.

GWENNO: Ac maen nhw wedi trefnu lle inni aros heno yn Sussex Gardens!

MAIR: 'Sdim gwahaniaeth 'da fi tasen nhw wedi trefnu i aros yn y Savoy — dwy i ddim yn dod!

GWENNO: Ond Mair fach, mi fydd pawb yn siomedig. Beth ddweda i wrth y lleill — dy fod ti wedi newid dy feddwl? Pa reswm roia i?

MAIR: Gweda beth lici di — 'sdim ots 'da fi.

GWENNO: A beth am Gwilym?

MAIR: *(yn llym)* Gwilym? Pa Gwilym?

GWENNO: Pa Gwilym? Y crwt na fu'n aros ...

MAIR: O, hwnna.

GWENNO: Oeddet ti'n cofio'i fod e'n dod i weld y gêm? Rwyt ti wedi bod yn edrych mlân yn ofnadw at 'i weld e.

MAIR: Ydw i?

GWENNO: Be ti'n feddwl 'Ydw i'? Wrth gwrs dy fod ti! Dyna i gyd sy wedi bod ar dy feddwl di oddi ar pan aeth bechgyn Monarfon tua thre — ac ar 'i feddwl e hefyd, mae'n siŵr.

MAIR: Hy! Mae e wedi hen anghofio amdana i!

GWENNO: O-ho! Dyna beth sy'n bod, ife? Dwli dwl, weda i! Fe addawodd e'n bendant gwrdd â thi cyn y gêm.

MAIR: Do — roedd e'n gallu addo'n bert! Ond os yw e'n cymryd cymaint o ddiddordeb yno i ac yn awyddus i ngweld i eto peth od na fydde fe wedi hala gair.

GWENNO: Pam? Addawodd e i sgrifennu atat ti te?

MAIR: Naddo. Ond mi alle fod wedi hala jyst gair bach — cerdyn fydde wedi bod yn ddigon i weud 'i fod e'n dishgwl mlân at fory.

GWENNO: Ond does dim byd wedi dod?

MAIR: Dim byd. Beth taswn i'n cwrdd ag e fory ac ynte ddim am fy ngweld i? Mi fydde hynny'n ofnadw!

GWENNO: O leia mi fyddet ti'n gwybod ble rwyt ti'n sefyll 'dag e wedyn. Ond os arhosi di gartre chei di byth wybod y naill ffordd na'r llall — a falle taw Gwilym fydd yn siomedig ac yn meddwl dy fod ti wedi anghofio amdano fe.

MAIR: O nagw!

GWENNO: Wel, dim ond un ffordd sydd o ddod i wybod — rhaid iti fod ar y bws 'na!

MAIR: Wel ...

GWENNO: Dere, fe helpa i di i baco dy bethe — ond siapa hi neu fe fydd hi'n ta ta i Gwilym a'r gêm!
(Allan)

GOLYGFA 7

(Rhanner y llwyfan ar gyfer dwy olygfa: bws y De a thrên y Gogledd. Y dorf yn dod i mewn yn barod am y daith i Lundain.)

LLAIS: Agi-agi-agi!

Y DORF: Oi-oi-oi!

LLAIS: Rhowch imi 'EC'!

Y DORF: 'EC'!

LLAIS: 'Y'!

Y DORF: 'Y'!

LLAIS: 'EM'!

Y DORF: 'EM'!

LLAIS: 'ER'!

Y DORF: 'ER'!

LLAIS: 'U'!

Y DORF: 'U'!

LLAIS: Rhowch imi —

Y DORF: CYMRU! Ra! Ra! Ra-ra-ra! Ra-ra-ra-ra — ra-ra!

JONES: Ydy pawb wedi cyrraedd?

TOMI M: Ydyn!

JONES: Neb wedi anghofio'i byjamas? Na'i ddannedd dodi?
(Chwerthin)

LLAIS: Mae'r Bos yn dod!
(Dr Puw yn cyrraedd, wedi'i wisgo'n bwrpasol)

PUW: Hylô, bawb!

Y DORF: Hylo, Dr Puw!

JONES: Rydan ni'n barod i gychwyn rŵan, Dr Puw.

PUW: Da iawn! Ydy pawb mewn hwylie da?

Y DORF: Ydyn, Dr Puw!

PUW: Da iawn. Ac mi fyddwch yn blant da bob un?

Y DORF: Byddwn, Dr Puw!

PUW: Da iawn! A nawrte, cofiwch y rheolau syml a ddysgais i chi, gan gofio fod enw da'r ysgol ...

Y DORF: Ie!

PUW: Enw da'r tîm rygbi ...

Y DORF: Ie!

PUW: Enw da Cymru ...

Y DORF: Ie!

PUW: Ac enw da Tomi Bach ...

Y DORF: Hwrê!

PUW: ... yn dibynnu ar ein hymddygiad ni! Felly, cofiwch y rheolau — dim rhegi!

TOMI M: Diawl, na !

PUW: Dim meddwi!

PAWB: Meddwi? *(syndod mawr)*

PUW: Dim torri ffenestri!

PAWB: Na!

PUW: Parchwch het bob plismon, a — a —

Y DORF: Ie, syr?

PUW: Byddwch yn neis wrth y Saeson!

TOMI M: Fe wnawn ein gore, syr!

PUW: Da iawn! A nawr mae'r bws yn disgwyl — i mewn â ni!
(Mae Mam Gwenno'n brysio i mewn wedi gwisgo dillad addas, yn goch a gwyn i gyd.)

MAM GWENNO: Hei! Arhoswch amdanaf fi!

GWENNO: Mam! Beth yn y byd sy wedi dod drosoch chi?

MAM GWENNO: Oeddet ti'n meddwl mod i'n mynd i aros gartre? Rwy i'n mynd i Lundain i weld Tomi Bach yn chware rygbi dros ei wlad!

PAWB: Hwrê!
(Y bws yn cychwyn a phawb yn canu 'I Bob Un Sy'n Ffyddlon'. Ar ochr arall y llwyfan mae'r Gogleddwyr yn dod i mewn.)

GOGLEDDWYR: Pwy dan ni? Pwy dan ni?
Hogia Môn a hogia Meirion,
Hogia Llŷn a hogia Arfon.
Un, dau, tri — ffwr' â ni.

LLAIS: Dowch, hogia, mae'r trên yn disgwyl!
(Y dorf yn brysio i'r trên a'r gorsaf-feistr yn barod gyda'i luman ac yn edrych ar ei watsh.)

WMFFRA: Arhoswch amdanaf fi, hogia!

GWILYM: Tyd o'na os wyt ti am weld y gêm!
(Y trên yn cychwyn; Wmffra'n neidio iddo)

LLAIS: Neidia!

WMFFRA: Help!

LLAIS: Dyna chdi, Wmffra. Wyt ti'n iawn, rŵan?

WMFFRA: Ydw'n tad. Rown i'n ofni y basech chi 'di mynd a ngadal i ar ôl.

LLAIS: Dim peryg!

GWILYM: Be sy gin ti yn fan'na, Wmffra?

WMFFRA: Ylwch!
(yn agor y faner a gwelir yr enw EVERTON arni)

GWILYM: Everton? Be haru ti'r lob?

WMFFRA: O — naci!
(yn troi'r faner a gwelir ARFON AM BYTH!)

LLAIS: Hwrê am Arfon!

PAWB: Ar-fon! Ra-ra-ra! Hwrê!
(saib)

LLAIS: Sut mae o'n teimlo'r bora ma, sgwn i?

WMFFRA: Sut mae pwy'n teimlo?

LLAIS: Arfon, wrth gwrs. Mae'n crynu yn 'i sana, mae'n siŵr.

GWILYM: Dim peryg! Sgynno fo ddim nerfa, wsti. Mi chwaraeith o run fath â llew'r pnawn ma!

LLAIS: Fydd o'n teimlo'n unig yng nghanol hogia'r De, tybed?

GWILYM: Na fydd! Mae o'n nabod un neu ddau ohonyn nhw'n reit dda. Mae o a Tomi Bach yn dipyn o fêts, wsti.

LLAIS: Wel, gobeithio y byddan nhw'n dallt 'i gilydd y pnawn ma, yntê?

WMFFRA: Ble 'dan ni erbyn hyn? Ydan ni wedi cyrraedd Caer eto?

LLAIS: Do, ers meitin.

GWILYM: Dydan ni ddim fod i newid, deudwch?

LLAIS: Nacdan! Mae'r trên ma'n mynd â ni'r holl ffordd i Lundain.

GWILYM: Gobeithio dy fod ti'n iawn — faswn i ddim yn leicio mynd i Lerpwl drwy fistêc.

WMFFRA: Wel, mi fasan ni'n medru mynd i weld Everton yn chwara wedyn!
(Bechgyn y gogledd yn canu 'Diadem' a'r trên yn gadael y llwyfan. Yna mae bws y de'n dod i'r canol ar gyfer yr olygfa nesaf.)

GOLYGFA 8

(Yn Twickenham, y tu allan i'r maes chwarae: sŵn seindorf yn y cefndir, casglwr yn derbyn tocynnau, plismon gerllaw; y dorf yn

graddol ymffurfio i weld y gêm; torf y de'n cyrraedd yn stwrllyd.)

Y DORF: Ra! Ra! *a.y.b.*

JONES: Dyma ni, Dr Puw, mewn amser da.

PUW: Ie, wir, Mr Jones, ac mae hi'n brynhawn ffein hefyd.

CASGLWR: Tickets, please.

PUW: Reit, mhlant i, rhowch eich tocynne i'r gŵr bonheddig!

MAM GWENNO: Dyma ti, gwboi.

CASGLWR: Thank you, Madam, danke schön and all that.

GWENNO: Ble mae dy docyn di, Mair?

MAIR: O dyma fe.

GWENNO: Dere mlân te.

MAIR: Na, mi arhosa i yma am ychydig.

GWENNO: Ond — o, reit o, te. Fe wela i di nes mlân. Fe dreia i gadw lle i chi'ch dou!

PUW: *(yn ffwdan i gyd yn gweld fod y plant yn rhoi'u tocynnau i'r casglwr; yn gweld Tomi M yn oedi ac yn chwilio'i bocedi)* Beth sy'n bod, grwt? Dwyt ti ddim wedi colli dy docyn, wyt ti?

TOMI M: Odd e 'da fi funed nôl, syr.

PUW: Diar! Diar! Faint o weithie mae'n rhaid i fi ddweud wrthych chi blant am gymryd mwy o ofal o'ch pethe? Does 'da fi gynnig i bobl esgeulus. Fe gollet dy ben oni bai'i fod e'n sownd!

TOMI M: O — dyma fe, syr!

PUW: Diolch byth! Wel, mewn â thi!

TOMI M: Reit, syr!
(yn mynd; mae Puw yn dilyn)

CASGLWR: Ticket, sir?

PUW: Oh — yes of course — er — *(yn rhoi'i law yn ei boced — ei wên hyderus yn diflannu — mynd i boced arall — golwg ofidus yn dod i'w wyneb — chwilio'n ddyfal)* Dear me — I seem to have put it somewhere.

CASGLWR; That's what they all say!

PUW: Beth wna i nawr?

DYN: Pst! Want a ticket, guvnor — very reasonable?

PUW: A ticket? *(y dyn yn rhoi'i fys ar ei wefus ac yn mynd â*

Puw o'r neilltu. Puw yn talu arian mawr am docyn yna'n mynd at y casglwr yn llon) Here you are, my man!

CASGLWR: 'Ere, what's this?

PUW: A ticket, of course!

CASGLWR: Oi! Constable!
(Y plismon yn dod ato. Mae'n dangos y tocyn iddo ac yn sibrwd wrtho. Y plismon yn cymryd y tocyn ac yn troi at Puw.)

PLISMON: I'm afraid you'll have to step along to the station sir.

PUW: Ond beth am y gêm, ddyn?

PLISMON: *(yn ei arwain i ffwrdd)* Come along, sir!

PUW: O diar!
(Torf y Gogledd yn cyrraedd yn stwrllyd.)

WMFFRA: Dowch, hogia!

GWILYM: Yli, dwy i'n nabod nacw, dw i'n siŵr.

LLAIS: Pwy?

GWILYM: Y dyn yng ngafal y plismon cw — ia, dyna fo — prifathro'r ysgol yn Sowth!

LLAIS: Naci!

GWILYM: Ia — wir yr — be mae o 'di neud, druan?

LLAIS: Hwyrach 'i fod o wedi taro'r slob ar 'i het! *(chwerthin)* Hei — yli pwy sy fancw!
(Gwilym yn gweld Mair)

MAIR: *(Yn ddidaro)* O, hylô.

GWILYM: Mae'n neis eich gweld chi eto.

MAIR: O?

GWILYM: Mi dw i wedi bod yn edrych ymlaen at y munud hwn ers wythnosa.

MAIR: O? Rown i'n meddwl eich bod chi wedi f'anghofio i.

GWILYM: Naddo! Mi addewis i, 'n do?

MAIR: Do, sbo.

GWILYM: Dyna'r cyfan sy wedi bod ar fy meddwl — cael eich gweld chi eto.

MAIR: *(Yn meddalu)* Ife?

GWILYM: Ia! ... Ydach chi'n disgwyl am rywun?

MAIR: Ddim nawr.

GWILYM: Awn ni i weld y gêm efo'n gilydd ta?

MAIR: O'r gore! *(Y ddau'n dal dwylo ac yn mynd i'r gêm.)*

GOLYGFA 9

(Gwelir pyst yn y cefndir. Clywir seindorf a'r dorf mewn hwyliau da.)

TOMI M: Dewch mlân, chi'ch dau!

GWENNO: Mae lle i chi fan hyn!

MAIR: O! Diolch!

TOMI M: Hylô, boio — croeso aton ni!

GWILYM: Tomi! Mae'n dda gin i dy weld ti eto. Diwrnod braf, tydi?

TOMI M: Ydy, dim llawer o wynt ac mae'r ddaear yn sych wrth ei golwg hi.

GWILYM: Mi fydd Arfon wrth 'i fodd. Mae o'n leicio chwara agored.

TOMI M: Tomi Bach hefyd.

MAIR: O! Edrychwch!

(Stranciau ar y cae — gorymdaith â Draig Goch fawr, cenhinen enfawr, baner 'Arfon am Byth'.)

LLAIS: Agi-agi-agi!

Y DORF: Oi-oi-oi!

(Gwelir ail orymdaith o Saeson â phoster 'England')

SAESON: Eng-land! Ra! Ra! Ra! Eng-land! Ra! Ra! Ra!

Y DORF: Arf-on! Ra! Ra! Ra!

GWILYM: Edrychwch ar y Saeson, druain!

(Wedi i'r Saeson fynd mae rhai o'r Cymry'n dodi'r genhinen i lawr ac yn ymgrymu o'i blaen ac yn dawnsio o'i chwmpas, cusanu'r dywarchen, ac yn ceisio dringo'r pyst. Yna mae plismyn yn eu hebrwng o'r cae. Yn ystod hyn mae'r dorf yn dal i ganu a gweiddi.)

MAIR: Y polîs!

GWILYM: Edrych tu cefn iti, hogyn! *(wrth i blismon gyrchu tuag at un o'r strancwyr)* Yli, ngwas i, gad lonydd iddo fo!

TOMI M: Ie watsha di, gwboi, neu mi ddwga i dy het di!

(Ar y gair mae un o'r strancwyr yn dwyn het y plismon, yn ei

thaflu o gwmpas fel pêl rygbi ac yn y diwedd yn dianc a'r polîs yn eu herlid oll oddi ar y cae.)

Y DORF: *(yn canu ar y dôn 'She'll Be Coming Round the Mountain')*

Mae'r bobi'n chware rygbi ar y cae...
Canu ai ai ipi hip hwrê...! *a.y.b.*

LLAIS: Agi-Agi-Agi!

Y DORF: Oi! Oi! Oi!

GOLYGFA 10

(Seindorf a'r dorf i'w clywed yn y cefndir; y tîm yn paratoi ar gyfer y gêm.)

DYN O'R TÎM: Faint o amser sydd i fynd?

HYFFORDDWR: Llai na phum munud.

DYN O'R TÎM: O, da iawn, mi ga i wisgo fy sgidie nawr te.

HYFFORDDWR: Ie, wir, siapa hi! *(yn troi a gweld chwaraewr arall yn eistedd yn llonydd a'i lygaid ynghau)* Wel y mawredd annwyl! Beth sy'n bod arnat ti?

TOMI B: Esgusodwch fi, dyw e ddim yn siarad â neb cyn y gêm.

HYFFORDDWR: O! Un o'r rheiny ife — bois yr anlwc! *(Tomi B yn anwesu'i droed cwningen)* A thithe hefyd, wrth dy olwg di!

TOMI B: Falle daw hi â lwc imi, yntefe?

HYFFORDDWR: Lwc? Nid lwc sy eisie heddiw ond chware da phob un yn benderfynol o wneud ei ore glas!

TOMI B: O, ie, wel, wrth gwrs.

HYFFORDDWR: Nawrte. Gwrandewch arna i bob un ohonoch chi! Mae'r awr dyngedfennol wedi cyrraedd o'r diwedd, fechgyn — yr awr i chi daro ergyd dros Gymru! Fe fydd heddiw'n sefyll mas yn hanes y gêm — y diwrnod y trechwyd y Saeson yn Twickenham!

LLAIS: Clywch! Clywch!

HYFFORDDWR: *(yn mynd i hwyl)* Cofiwch am gewri'r gorffennol — maen nhw i gyd yno heddiw'n eich gwylied a'u calonne'r curo drosoch chi ac yn eich annog ymlaen i ddilyn yn ôl 'u sodle, i ymladd yn ddewr ac i ennill! Ac rwy'n gwybod y gallwch chi ennill y dydd! Weles i erioed gystal tîm â chi! Gwaed ifanc yn byrlymu drwy'ch gwythienne — nerth cewri yn eich cyhyre! Fe fyddwch chi'n dal i fynd pan fydd pac Lloegr ar 'i linie!

Y TÎM: Fe wnawn ni'n gore!

HYFFORDDWR: Cofiwch y deg gorchymyn!

Y TIM: *(fesul un neu gyda'i gilydd)* Na foed iti gamsefyll ac na foed iti wthio mewn llinell; nac ymafla am wddw dy wrthwynebwr eithr am ei goesau; na sodla dy wrthwynebwr ac yntau'n orweddog; na ddyrna dy gymydog yn yr amlwg, nac mewn llinell nac mewn sgarmes rydd; na fwria'r bêl ymlaen; na ddadleua â'r rheolwr rhag colli ohonot ddeg metr; na foed iti grafu na chnoi dy wrthwynebydd yn y sgrym; anrhydedda dy gapten a'r rheolwr; chwaraea i ennill drwy deg, cyhyd ag y bo'n bosibl!

HYFFORDDWR: *(yn canu ar y dôn 'Calon Lân')*

Nid wy'n gofyn gêm gysurus,
Gêm boleit na gêm ddi-reg;
Gofyn wyf am chware taclus,
Chware gonest, chware teg.

Cytgan: *(Y Tîm i gyd)*
Chware glân sy'n llawn daioni,
Tecach yw dros ddaear lawr.
Dim ond chware glân all ennill
Gêm o flaen y dyrfa fawr!

HYFFORDDWR: Pan fydd Cymry'n chware'r Saeson
Yng Nghaerdydd neu Twickenha-am,
Peidied neb â bod yn wirion,
Peidied neb â chwarae'n gam!

Cytgan: *(pawb)*
Chware glân sy'n llawn daioni *a.y.b.*

HYFFORDDWR: Fe fydd y Ddraig Goch yn cyhwfan uwchben San Steffan heno a Chymru'n dathlu buddugoliaeth fawr! Peidiwch â'n siomi. A nawr, yn enw Cymru, ewch! I'r gad!

(Y tîm yn rhedeg a'r dorf yn bonllefain eu croeso.)

GOLYGFA 11

(Gwelir y dorf yn gwylio'r gêm; pyst yn y golwg; camera teledu a dau sylwebwr.)

SYLWEBWR 1: A nawr, dim ond tair munud sydd i fynd hyd ddiwedd y gêm — y gêm fwya cyffrous a weles i erioed, yntefe, Huw?

SYLWEBWR 2: Wel ...

SYLWEBWR 1: Ac mae Lloegr yn dal ar y blaen o ddeg pwynt i chwech yn erbyn pob disgwyl ac mae cefnogwyr Cymru'n dechrau gofidio ac yn pryderu ac yn dechrau meddwl fod y Pump Pwysig wedi bod yn annoeth yn eu dewisiad eleni, yntê, Huw?

SYLWEBWR 2: Ie, John, ond ...

SYLWEBWR 1: Ac fel rŷch chi'n gweud, mae hon yn gêm galed iawn a'r ddau dîm yn rhoi o'u gore — gêm agored a bywiog, yn llawn o symudiade cyflym, o un pen i'r cae i'r llall mewn mater o eiliade yntê, Huw — Huw?

SYLWEBWR 2: O, ie John.

SYLWEBWR 1: A nawr mae sgarmes rydd ar y llinell ddeg a'r blaenwyr fel clêr ar ben 'i gilydd ac mae tipyn o shwd-mae-heddi'n mynd mlân ar y foment ond mae'r rheolwr yn edrych y ffordd arall. A nawr mae'r bêl mas ar ochr Lloegr ac mae Thompson Psmythe — Thompson —

SYLWEBWR 2: Eton a King's.

SYLWEBWR 1: — wedi rhoi cic uchel iddi ar letraws ac mae'r asgellwr Fotherington-Ponsonby-Colquhoun —

SYLWEBWR 2: Harrow a Balliol —

SYLWEBWR 1: — wedi'i chymryd hi ar y tacliad cynta ac mae'n troi ac, O! mae Wili Puw, Ysgol?

SYLWEBWR 2: Rhydfelen a Pholitechneg Cymru —

SYLWEBWR 1: — wedi'i ddal rownd ei linie ac mae e lawr!

Y DORF: Hwrê!

SYLWEBWR 1: Rhaid i fi ddweud, mae Wili Puw'n amddiffynnwr cadarn, on'd yw e, Huw?

SYLWEBWR 2: Eitha gwir, John.

SYLWEBWR 1: Sgrym nawr a mantais Lloegr. Ond Cymru piau hi ac mae hi'n dod nôl yn gyflym ac mae Tomi Bach wedi diflannu rownd yr ochr dywyll — ydy — co fe'n jinco. Un, dau, tri —

DORF: *(yn siomedig)* O!

SYLWEBWR 1: Mae'r lluman lan! Rhaid 'i fod e wedi dodi un droed drosodd ac felly pêl Lloegr yw hi, i'w thaflu i mewn yn awr. Dim ond munud i fynd yn ôl fy watsh i a'r Cymry'n trïo popeth i ddwyn y fuddugoliaeth yn eiliadau ola'r gêm a'r Saeson yn ymladd fel llewod i'w dal nhw nôl. Un sgôr yn unig, un cais wedi'i drosi'n unig sy rhyngddyn nhw a buddugoliaeth. Ond mae arna i ofon 'u bod nhw wedi'i gadel hi'n rhy hwyr. Mae'r bêl yn dod — lan â nhw — mae nôl i Tomi Bach eto a ... beth mae e'n wneud? Cic ar letraws, lan fry yn y nen ac maen nhw ar ei hôl hi! Ac mae Fotherington-Ponsonby-Colquhoun yn rhedeg i'w dal hi ond erbyn i fi orffen dweud 'i enw mae Tomi Bach yno o'i flaen! Ac mae e heibio ac yn mynd am y gornel. Mae'n mynd i sgorio!

Y DORF: Hwrê! Tomi! Ra-ra-ra! Tomi! Ra-ra-ra!

SYLWEBWR 1: Mae Tomi Bach wedi sgorio cais yn y gornel! A'r Cymry'n gorfoleddu ac yn dawnsio! Ac yn canu! Ac mae'r rheolwr yn edrych ar ei watsh a phawb yn trïo dyfalu pwy sy'n mynd i gymryd y gic. Mae'r capten yn galw ar fachgen ifanc sy'n chwarae am y tro cynta heddiw — Arfon Jones! Wel dyma beth annisgwyl, yntefe, Huw?

SYLWEBWR 2: *(yn gyflym)* Dyw Parry Price ddim wedi cael gêm dda o gwbwl heddi ac rŷn ni wedi gweld angen ciciwr da yn fawr yn y gêm hon ac mae Arfon Jones ag enw da am gicio cryf a syth gartre ym Monarfon a dw i ddim yn synnu o gwbwl at benderfyniad y capten.

SYLWEBWR 1: Wrth gwrs, diolch yn fawr am dy sylwade a nawr mae Arfon Jones, y llencyn ysgol o Fonarfon yn gosod y bêl ac mae'r Cymry'n gweddïo am rwydd hynt i'w droed, ac yn ymdawelu.

Y DORF: *(yn canu, yn dawel i ddechrau, yna'n cryfhau, ar y dôn 'Cwm Rhondda')*

> Wele'n sefyll dan y pystion
> Arfon, arwr Cymru fad;
> Cicio'r bêl yn syth yr awron
> Yw ei waith er clod i'w wlad.
>
> Arfon! Arfon! Cic hi'n union
> A diwyro rhwng y pyst!
> A diwyro rhwng y pyst! ... SH ...

SYLWEBWR 1: A nawr mae Arfon yn sefyll — yn edrych — sychu'i drwyn ar 'i lawes — yn rhedeg — yn cicio! ...

(saib)

Y DORF: HWRÊ!

(Mae'r bêl yn dod i'r golwg rhwng y pyst. Gorfoledd mawr a'r dorf yn rhedeg yn wyllt o gwmpas y camera. Yna cario Arfon a Tomi Bach, canu 'I Bob Un Sy'n Ffyddlon' a.y.b., a bonllefain.)

GOLGYFA 12

(Gwenno a'i Mam yn dod ymlaen; sain Big Ben)

MAM: O diar! O diar diar mi! Rhaid i fi gael eistedd. Rwy i wedi blino'n lân.

GWENNO: A finne!

(y ddwy'n eistedd; Mam yn tynnu'i hesgidiau gyda rhyddhad mawr)

MAM: O! Dyna welliant! A diolch am funed o lonydd i orffwys ychydig! Dwy i ddim wedi cael diwrnod mor gynhyrfus erioed yn fy mywyd!

GWENNO: Wir, Mam?

MAM: Wir, Gwenno! Rwy i wedi gweiddi nes bo fy llais i wedi mynd! Ac rwy i wedi gweld gêm i'w chofio.

GWENNO: A finne.

MAM: Ac nid dyna'r cyfan. Rwy i wedi gweld plasty'r Frenhines a Big Ben a San Steffan a Picadili ac wn i ddim faint o lefydd i gyd, a nawr rwy i wedi blino'n lân ac yn mynd nôl i ngwely ag asprin neu ddwy'n gwmni i fi.

GWENNO: Fe ddo i gyda chi, Mam.

MAM: *(yn gwisgo'i hesgidiau)* Dere di te — fe wnaiff les inni'n dwy gael noson gynnar ar ôl diwrnod fel heddi!

(y dorf yn agosáu)

MAIR: Hylô, Gwenno! Hylô, Mrs Davies!

GWENNO: Hylô 'na!

MAM: Hylô i chi i gyd.

TOMI M: Hei! Ydych chi'ch dwy'n dod rownd y dre 'da ni?

MAM: O na!

GWILYM: Ia, dowch wir, y ddwy ohonoch chi. Mi rydan ni am fynd i weld y siopa a Sgwâr Trafalgar.

MAM: Na wir, machgen i, rwy i wedi blino gormod.

LLAIS: Wedi blino? Chlywes i erioed y fath beth.

MAM: Ydw, wir — heblaw hynny, dŷch chi ddim eisie menyw ganol oed gyda chi.

GWILYM: Ganol oed? Dynas ifanc fel chi? Mi rydach chi'n edrych yn fwy tebyg i chwaer Gwenno na'i mam hi!

MAM: O — gadewch eich hen sebon, grwt!

LLAIS: Mi fentra i y gallwch chi ddawnsio cystal â neb!

MAIR: Beth am ddawns fach te?

PAWB: Ie!

(Y dorf yn ffurfio cylch, curo dwylo a chanu alaw dawns werin.)

MAIR: Dewch mlân, Mrs Davies!

MAM: O!

(Yn cael ei thynnu i mewn i'r ddawns. Mae Gwenno ar ôl nes i Tomi Mawr ddod ati a chymryd ei dwylo a'i thynnu i mewn. Mae hi'n anfodlon ar y cyntaf, yna'n gwenu ac yn mynd gydag ef. Wrth i'r ddawns orffen mae hi'n gweiddi.)

GWENNO: Ble nesa, Tomi?

TOMI M: I weld y ddinas!

PAWB: Hwrê!

(Yn gorymdeithio'n hapus, gan adael Mam Gwenno wedi colli'i hanadl, yn chwifio'i hances arnyn nhw ac yn mynd allan yn wên o glust i glust.)

GOLYGFA 13

(Y dorf yn cael hwyl fel arfer; gwelir drws a'r rhif 10 arno a phlismon yn sefyll o'i flaen.)

GWILYM: Ble dan ni rŵan?

MAIR: Wn i ddim. O — edrych, plismon!

GWENNO: Rhaid fod rhywun pwysig yn byw fan hyn. Sgwn i pwy? Gofyn iddo fe, Tomi.

TOMI M: O'r gore. Y — excuse me?

PLISMON: Yes?

TOMI M: Who do live by here, then?

PLISMON: Pwy sy'n byw fan hyn? Dydych chi ddim yn nabod y rhif?

GWILYM: Ew! Mae o'n siarad Cymraeg!

PLISMON: Ydw, machgen i.

GWILYM: Be 'dach chi'n wneud fan hyn ta?

PLISMON: Cadw golwg ar dŷ'r Prif Weinidog, wrth gwrs.

TOMI M: Pam? Oes perygl i rywun 'i ddwgyd e te?

PLISMON: Fe synnech beth ddigwydde taswn i ddim yn gwarchod y drws ma. Rŷn ni'n cael pob siort yn dod heibio.

TOMI M: Be chi'n feddwl 'pob siort'? Ni chi'n feddwl?

PLISMON: Nage! Rŷch chi'n rhy ddiniwed o lawer.

TOMI M: O? Ydyn ni, wir? *(yn rhoi winc ar y lleill)*

PLISMON: Ydych. Cymry ydych chi, yntê? Wnaech chi ddim drwg i dŷ'r Prif Weinidog.

GWILYM: Na.

PLISMON: Na thaflu paent.

PAWB: O — na!

PLISMON: Na thorri ffenestri.

PAWB: Na!

(Yn ystod y sgwrs hon mae Tomi Mawr yn mynd at y drws, gyda'r lleill yn ei guddio, ac yn gwneud rhywbeth iddo na ellir ei weld yna mae'n troi gan ddal i guddio'r drws.)

GWILYM: Rŷn ni'n ddiniwed iawn, ond ŷn ni? *(yn tynnu sylw'r plismon)*

PAWB: Ydyn!

PLISMON: Mae'n dda gen i glywed hynny. Mae'n hyfryd meddwl fod pobl ifainc Cymru'n dal yn ffyddlon i hen draddodiade gore'r genedl.

GWILYM: O ydyn! Wel, gwell inni fynd rwân. Nos da i chi.

PLISMON: Nos da te — dda gen i gwrdd â chi i gyd. Nos da.

PAWB: Nos da!

(Tomi M yn mynd a gwelir label mawr CYMRAEG ar y drws. Mae'r plismon yn gwenu ar eu holau, yna'n gweld y label ac yn tynnu chwib a'i chwythu wrth i'r dorf redeg i ffwrdd dan chwerthin.)

GOLYGFA 14

(Y dorf yn rhedeg a chwerthin tu allan i glwb nos.)

GWILYM: Go dda, Tomi Mawr! Mi gawson ni hwyl efo'r plismon, on'd do?

TOMI M: Do wir, ond dyw hynny'n ddim o'i gymharu â'r sbort gawn ni yn y lle nesa!

GWENNO: I ble rwyt ti'n mynd â ni Tomi?

TOMI M: Fan hyn — dyma ni!
(i mewn â nhw i'r clwb: dawnswyr un ochr, Antonio'n dod ymlaen)

ANTONIO: I am — a very sorry, sir — we are — a just closing!

Y DORF: *(yn siomedig)* O!

LLAIS: Can't we stay for a few minutes?

GWENNO: O dere Tomi. Paid â dadle ag e er mwyn popeth.

ANTONIO: A! Cymry ydych chi!

MAIR: Ie, wrth gwrs.

GWILYM: Wedi dod i weld y gêm!

ANTONIO: Mae hynny'n gwahanol — a — croeso! Croeso i clwb Antonio! Mama mia! Cymry! O! Mae'n hyfryd clywed yr hen iaith annwyl unwaith eto — oes, wir!

GWILYM: Wel ar fencos i! Mi dw i wedi clywad am Gymry Llundain ond mae hyn yn wirion bost!

ANTONIO: O! Rwy i wedi hiraethu llawer am yr hen gwlad, do, do.

GWENNO: O ble rŷch chi'n dod te?

ANTONIO: Antonio Cascarini — nawr o Llundain — gynt o Llanelli!

LLAIS: O Lanelli? Wel, jiw, jiw! Toni Tships, myn brain i! Shwd i fe te, Toni? Odi e'n cofio fi? Glyn o Stepney Street!

ANTONIO: Wel, wel, Glyn bach! Shwd i fe ers blynyddoedd? Dew e mlân fan hyn a ishteddw e lawr.

GLYN: O, diolch.

ANTONIO: Pawb i ishte! Dyna chi. Nawrte, Glyn bach, gwedw e beth mae e'n moyn i fyta.

GLYN: Syched sy arna i fwya, Toni.

ANTONIO: Reit. Odi e'n moyn glased bach o rywbeth te?

GLYN: O, diolch yn fawr, glased bach o lager falle.

ANTONIO: *(wrth Gwilym)* Beth mae e'n moyn te?

GWILYM: Pwy?

ANTONIO: Fe.

GWILYM: Wel gofynnwch iddo fo ta.

ANTONIO: Nage, nage, fe!

GWILYM: Pwy?

GLYN: Gofyn i ti mae e, Gwilym.

ANTONIO: Ie, ie — fe.

GWILYM: Ylwch, dwy'n dallt dim byd dach chi'n ddeud!

ANTONIO: *(wrth Mair)* Odi e'n lico hufen iâ?

MAIR: Wn i ddim — y pwy — fi!

ANTONIO: Ie, ie, fe.

MAIR: Ydw, wrth gwrs.

GWENNO: A finne.

ANTONIO: Hufen iâ i bawb?

PAWB: Ie!

ANTONIO: *(yn canu ar y dôn 'Come Back to Sorrento')*

> Prynwch hufen iâ Antonio,
> Hufen iâ nad oes mo'i well o
> Wedi'i gadw mewn oergell — o!
> Jyst y peth i orffen cinio!
> Hufen iâ i bawb.
> Cewch ragor os dymunwch,
> Mynnwch fy hufen iâ —
> Hufen iâ i bawb!

PAWB: *(yn canu)* Hufen iâ i bawb *a.y.b.*

ANTONIO: Diolch yn fawr — grazie, grazie — a nawr rhywbeth i'w yfed hefyd?

PAWB: Ie!

ANTONIO: Ar unwaith! Ac fe gewch chi weld y sioe run pryd. Mama mia! Diwrnod hapus iawn i fi, oes wir.
(Allan)

TOMI M: Dyna lwc dy fod ti'n 'i nabod e, yntefe, Glyn?

GWENNO: Sh! Mae'r cabaret yn dechre.
(Sŵn cerddoriaeth; tu ôl i sgrîn gwelir merch yn dawnsio ac yn

diosg ei dillad; y dorf yn synnu yna'n mwynhau, curo dwylo.)

LLAIS: Mwy! Mwy! Mwy!

TOMI M: Tali ho!

(yn codi a rhedeg at y sgrîn a neidio trwyddo; cynnwrf, sgrech merch; chwib y polîs; anrhefn; Antonio a'i 'Mama Mia', polîs yn rhuthro i mewn ac yn gafael yn Tomi M ...)

GOLYGFA 15

YNAD: Next case quickly! *(plismon yn dod â Dr Puw a Tomi Mawr o'i flaen)* What have we here, eh?

PLISMON: Two more ruffians, your honour.

YNAD: What are the charges?

PLISMON: One of them — that's this one — caused an affray in Antonio's Café last night in that he did knowingly and unlawfully tear down the sheet between the audience and the — er — young lady behind it thus exposing her to public view in an undressed state.

YNAD: Tut! Tut! Tut! Such depravity in one so young! Led on by the older one, no doubt — don't like the look of him — shifty appearance — and the other?

PLISMON: The other accused, your honour, was found to be in possession of a forged rugby ticket.

YNAD: A forged **rugby** ticket, you say?

PLISMON: Yes sir.

YNAD: Is nothing sacred any more? This is very serious — calls for severe measures. Forged rugby tickets! Terrible! Shocking! And leading young men into a life of crime and depravity.

DR PUW: But ...

YNAD: Silence! You, sir, are a disgrace to society, that you should set such a bad example to the younger generation. I find you guilty and sentence you to six months hard labour!

DR PUW: Nefoedd wen! Chwe mis!

YNAD: And as for your unfortunate comp... what did you say?

DR PUW: Nefoedd wen! Chwe mis!

YNAD: Cymro ydych chi!

DR PUW: Ie, eich Anrhydedd.

YNAD: Wel pam na fyddech chi wedi dweud yn gynt, ddyn?

Mae hyn yn gwneud gwahaniaeth mawr! Mi rydw i'n flaenor yng nghapel Radnor Walk, wyddoch. Dydw i ddim yn leicio gweld Cymro o flaen ei well, nag ydw, wir!

TOMI M: Byddwch yn drugarog, syr. Mi gafodd Dr Puw ei dwyllo!

YNAD: *(yn ysgwyd ei ben)* Tocyn ffug.

DR PUW: Mi gostiodd ugain punt i fi, eich Anrhydedd.

YNAD: Ie, ie — ugain punt.

DR PUW: A cholli'r gêm ar ben hynny, syr.

YNAD: A cholli'r gêm? Diar mi! Wel, does ond un peth i'w wneud.

DR PUW: Mae gen i wraig a phump o blant, syr!

YNAD: Wedi colli ugain punt — mae hynny'n wael.

DR PUW: Do, syr!

YNAD: A cholli'r gêm — sy'n waeth byth. Rwy'n barnu fod eich cosb ...

DR PUW: Ie?

YNAD: Yn hen ddigon heb imi roi rhagor i chi. Fe gewch chi fynd yn rhydd.

DR PUW: O! Diolch!

YNAD: Dim gair! Fedra i ddim diodde gweld Cymro'n cael cam.

TOMI M: Beth amdana i, syr?

YNAD: Hm — wel — doeddet ti ddim yn golygu unrhyw ddrwg, nag oeddet?

TOMI M: Nag oeddwn, syr.

YNAD: Dy droed wedi llithro, o bosib?

TOMI M: Ie, syr — yn hollol. Damwain bur!

YNAD: Wrth gwrs, fel roeddwn i'n meddwl. Wel, fe anghofiwn ni am y peth gan fod Cymru wedi ennill, yntê?

TOMI M: Diolch yn fawr, syr. Wna i byth mo hynny eto.

Y DORF: Hwrê!

(Yr ynad yn codi, ymgrymu, ac yn troi i fynd allan; ar ei gefn gwelir LONDON WELSH XV)

GOLYGFA 16

(Y dorf yn gorymdeithio gan ganu neu chwibanu; gwelir camera a'i griw a'r cyhoeddwr. Swyddog bron â drysu.)

SWYDDOG: Right! Quiet everybody! Ten seconds to go!

TOMI M: Siarada Gymraeg, bachan!

SWYDDOG: *(acen Seisnigaidd)* Oh! Rightie-y ho! Tawelwch os gwelwch yn dda!

Y DORF: Naw-wyth-saith-chwech-pump-pedwar-tri-dau-un!

CYHOEDDWR: Bore da! A chroeso unwaith eto i Sianel Pedwar Cymru. Heddiw rydyn ni wedi gwahodd i'r stiwdio nifer o bobl ifainc i groesawu'r ddau arwr ifanc nôl o Lundain ar ôl Y Gêm Fawr ddydd Sadwrn diwethaf. A dyma nhw ar y gair!
(Y dorf yn mynd yn wyllt wrth i Tomi Bach ac Arfon gael eu harwain i mewn i ysgwyd llaw â'r cyhoeddwr.)

Y DORF: Ra! Ra! Ra-ra-ra! Ra-ra-ra-ra — ra-ra!

LLAIS: Agi-agi-agi!

Y DORF: Oi-oi-oi! *(yn canu)* O bob rhyw chwarae is y nef, *a.y.b.*

CYHOEDDWR: Diolch yn fawr am eich croeso brwd i'r ddeuddyn ifanc, i'r ddau arwr hyn, a diolch i chi'ch dau am fod gyda ni heddiw. Ac yn awr, ymlaen â'r rhaglen. Heddiw mae cyhoeddiad pwysig dros ben i'w wneud — cyhoeddiad fydd o'r diddordeb mwyaf i bawb sy'n caru rygbi! Ac mae'n bleser gen i gyhoeddi fod Pennaeth S4C wedi cytuno i wneud y cyhoeddiad pwysig hwn mewn munud.

(Criw yr hysbyseb yn bwrw ati, fel o'r blaen — hysbysebwr a hysbysreg.)

HYSBYSEBWR:
'Hei! Cer Ati!' — Y persawr modern i'r dyn modern!
Os wyt ti'n unig ac ar dy ben dy hun —
Os yw dy ffrind gorau'n ofni sibrwd gair yn dy glust —
Os yw dy gariad yn dy osgoi —
Paid â phoeni! Mae'r ffordd yn glir yn awr iti ddod yn llwyddiannus, yn lwcus, yn gariadus, yn hapus!
Un diferyn yn unig o 'Hei! Cer Ati!' ar flaen dy drwyn ac fe fydd y byd yn arogleuo'n wahanol, dy gyfeillion yn gweiddi am dy gwmni, pob drws yn agored o dy flaen a bydd dy gariad yn ochneidio amdanat! Felly, paid ag oedi ond cer ati gyda 'Hei! Cer Ati!'

CANTORION: *(yn canu ffalsetto, ar y dôn 'Gwŷr Harlech'):*
Dyma'r ffordd i ennill cariad,
Dyma'r ffordd i gael ysgariad,
Gwisga 'Hei! Cer Ati' wastad —
'Hei! Cer Ati' — Hei!

CYHOEDDWR: Croeso nôl i'r rhaglen i chi wylwyr gartre. Ac yn awr, mae'n anrhydedd gen i gyflwyno Pennaeth Cwmni S4C — Mr Stanley ab Owen Edwards.

S.A.O.E.:Hyfrydwch mawr i mi yw cael bod yma heddiw i longyfarch y ddau arwr ifanc hyn a hefyd i wneud y cyhoeddiad pwysig hwn: heddiw fe gyhoeddir enw Chwaraewr y Flwyddyn, sef y gŵr neu'r wraig a wnaeth y cyfraniad mwyaf i fyd chwaraeon yng Nghymru eleni! Allan o saith deg o enwebiadau dyma'r enw! *(mae'n agor amlen ac yn tynnu papur allan)* Arhoswch funud! Nid un enw'n unig a geir yma, ond dau!

Y DORF: *(yn syn)* O!

S.A.O.E.: Dau enw yn gydradd gyntaf, sef Tomi Morris!

Y DORF: Hwrê! Naw! Saith! Pump! Tri! Pwy yw'r un a garwn ni? Tomi Bach!

S.A.O.E.: Ac Arfon Jones!

Y DORF: Arfon! Ra-Ra-Ra! Arfon! Ra-ra-ra!

S.A.O.E.: Diolch yn fawr! Pleser o'r mwyaf i mi yw cyflwyno i chi, Arfon Jones a Tomi Morris, y gwobrau hyn!
(yn cyflwyno bob o bêl rygbi arian)

Y DORF: Hwrê!

S.A.O.E.: Ac yn awr — y Deyrnged!
(Y llwyfan yn tywyllu; ffilm o'r gêm; oriel yr anfarwolion ar y gefnlen; clywir lleisiau'r dorf yn canu)

LLAIS 1: Henffych, chwaraewyr y flwyddyn! Henffych arwyr y genedl! Unwaith eto, bylchwyd y rhengoedd ac wynebodd hen genedl y Cymru awr ddu yn ei hanes, awr pan ddiflannodd y cewri, awr pan ddofwyd y llewod, awr pan ballodd nerth yr eryr. Ond daeth eto dro ar fyd a throi adfyd yn awr i lawenhau — awr o orfoledd — awr o fuddugoliaeth!

LLAIS 2: Canys daeth eto gewri newydd i sefyll yn y bwlch, i gau'r rhengoedd, i gario mantell yr anfarwolion, i lefaru nad yw hi ddim ar ben a bod Cymru unwaith eto'n deffro ac yn sgubo ymlaen o nerth i nerth, o fuddugoliaeth i fuddugoliaeth! Dyrchafwn yn awr ein dwylo a'n lleisiau'n groch i ganmol ein gwŷr ieuainc, i glodfori'r ddeuddyn arwrol a'u croesawu i oriel yr anfarwolion!

PAWB: *(yn canu ar y dôn 'I Bob un sy'n Ffyddlon')*

I bob un fu'n ffyddlon
I'n tîm rygbi ni
Fe ddaeth buddugoliaeth
Diolch i'r ddau o fri;
Tomi Bach ac Arfon
Aeth i'r frwydr fawr,
Mawr yw clod ein bechgyn
Disglair yma nawr.

Cytgan: *(4 llinell gyntaf)*

Cymru'n un o'r diwedd
Beunydd ar y blaen,
Gweddïwn glodydd bechgyn
Gorau gwlad y gêm!
Cerddwn i'r dyfodol
A phob bron ar dân,
A waeth beth fo'n tynged
Rygbi fydd ein cân.

Cytgan: *(4 llinell gyntaf)*

LLAIS: Agi!Agi!Agi!

PAWB: Oi! Oi! Oi! *a.y.b.*

* * *